ガルシア・ロルカの足跡を訪ねて

国民的吟遊詩人であり劇作家のロルカが、
生まれそして亡くなった足跡を
グラナダのベーガ（沃野）にたどる。

ロルカ生誕地フエンテ・バケーロス村　ロルカ記念館の中庭

夜のアルハンブラ宮殿
ライオンのパティオ

ロルカ終焉の地ビスナール渓谷　慰霊公園

アンダルシアの道は
白い村や町にいたる

崖上の白い町アルコス・デ・ラ・フロンテーラ

白い村ミハスと地中海

白い村モンテフーリオ夕景

白い町エシハ

サアラの村落と夕日

白い町カルモナ

アルコス・デ・ラ・フロンテーラの夕映え

白い村ベレス・デ・ベナウダリャと
雪を頂くシエラネバダ山脈

地中海の夕日（サロブレーニャ）

海への道

四方を山々に閉ざされたベーガから
地中海へいたる道は、そこに暮らす
人々が、内陸の閉塞感から解放され、
外の世界へ導かれる道程。

灯りともるサロブレーニャとトワイライトの空

白い町ロンダ
急峻な断崖に架かるヌエボ橋

満月映える湖と白い村サアラ

ロンダ山中

セビーリャのタバコ工場で働く女工カルメンに魅了され、実直な門衛ホセは、ロンダ山中へ誘い込まれて、盗賊一味に。それは物語であるが、太古の洞窟が口を開け、原生林が茂る、山中奥深くへ入ると、あれは本当の話であったかと思えてくる。

野焼きの煙

山懐に抱かれた白い集落と夕暮れの空

太陽の道

コスタ・デル・ソル（太陽海岸）を東西に
貫く道路は、文字通りの太陽の道。
溢れる陽光を浴びた村落が、地中海と空の
青さを背景に、白く眩しく輝く。

朝日を浴びるバルコニー（ネルハ）

白いカジェと子どもたち（ミハス）

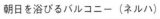

白い村カサレスの一日

コスタ・デル・ソル（太陽海岸）近くにあって、山村の風情を備えた小さな村カサレス。そこは、複雑な地形に富み、朝昼晩と様々の表情を持っている。

夏の日の路地の人々

陽を浴びて白く輝く村落

朝明けの空と村落

黄昏の空と灯ともる村落

オリーブの丘と雲

オリーブ街道

アンダルシアは、オリーブの一大生産地。車で内陸部の道路を走ると、どこまでもオリーブの木々が列をなして続き、オーバーではなく、オリーブの海へ紛れ込んだかと錯覚する。

オリーブの実

オリーブと白い村オルベラ

オリーブとシエラネバダ山脈

グアダルキビール河

グアダルキビールと白い町モントロ

大河は、アンダルシア北部の山中に源を発し、
大地を貫き農地を潤し、イスラム文化の華
開いた古都コルドバ、セビーリャを経由し、
欧州一の湿地帯ドニャーナを形成し、
大西洋の大海原へと流れ出る。

大河の河口
対岸はドニャーナ国立公園
夕日が空を赤く染める

夜のメスキータとグアダルキビール（コルドバ）

大河は大地を滔々と流れる

アンダルシアの祭り

アーモンドの花咲く頃、今年もまた春祭りの季節が到来。大型トレーラーが大地を行き交い、祭り開催の白い村や町に着くと、空地や広場に観覧車や回転木馬などの遊具を組み立て、移動遊園地を完成させる。

セビーリャの春祭り

闘牛はスペインの祭りに欠かせない行事

ロシオ巡礼の祭り

巡礼への出発（グラナダ）

聖霊降臨祭

巡礼の道

アンダルシア片隅の僻村
エル・ロシオは、年に一度の
聖霊降臨祭に、アンダルシア
各地の巡礼団が、シンペカドス
（御輿車）を先頭に訪れてきて、
巡礼者で溢れ返る。

世界自然遺産のドニャーナ国立公園

ヒマワリの丘

酷暑の夏を迎える直前、夏を象徴する花
ヒマワリが大輪を咲かせる。丘全体が、
黄一色に染まって、アンダルシアの青空と、
強烈なコントラストを演出。

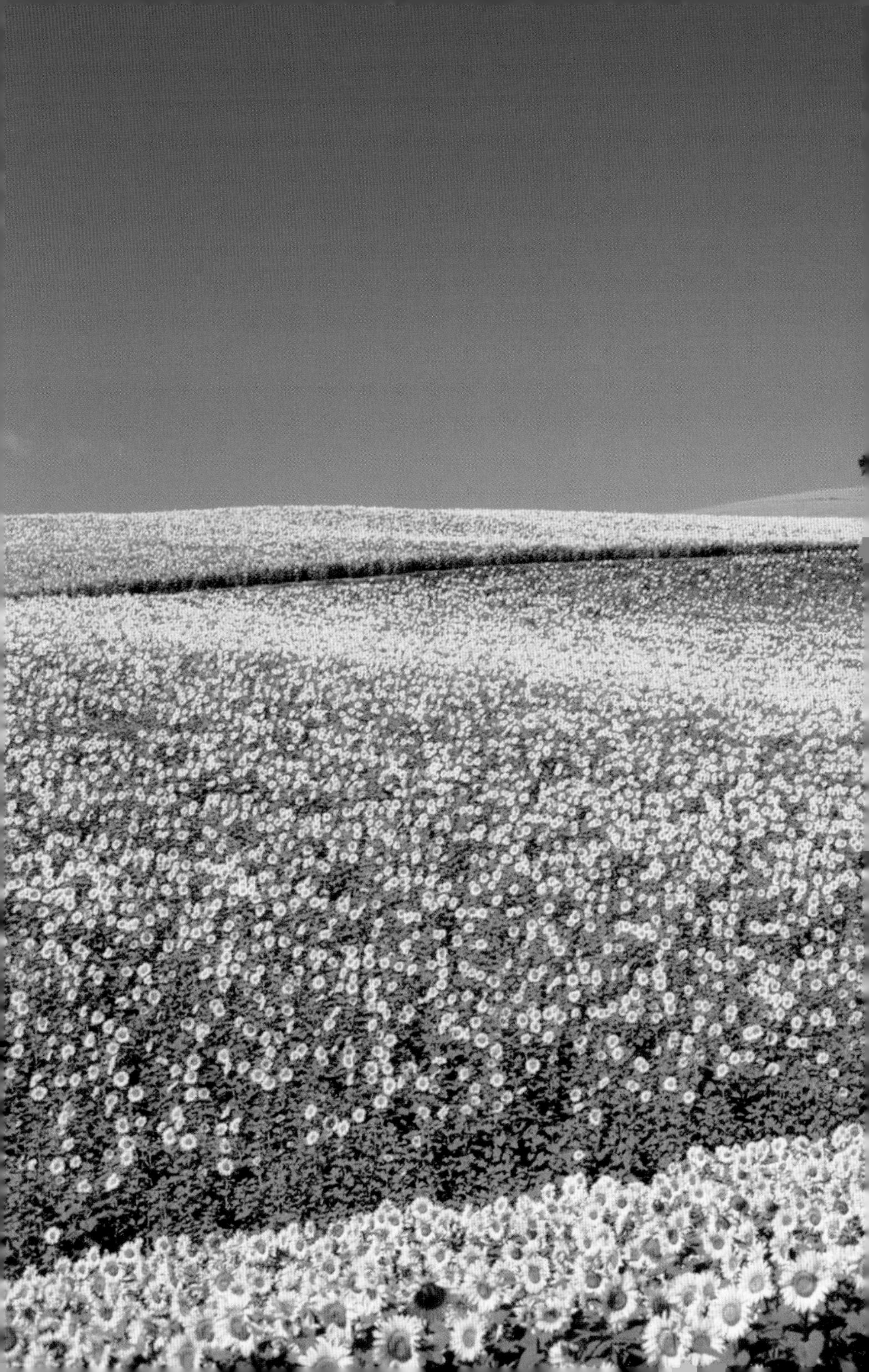

シエラネバダ山脈と二つの山村
奥がカピレイラ、手前がブビオン

雪を頂くシエラネバダ山脈の南麓一帯が、アルプハーラと呼ばれる地域。点在する白い山村は、屋根の上の漆喰煙突群など独特の伝統文化を継承し、四季折々に表情を変える。

山村の子供

アルプハーラの山村

山村カピレイラの夜

月夜のアルプハーラ

白い村ベヘール・デ・ラ・フロンテーラ

大西洋に突き出たカディス要塞と雲間の陽光

ジブラルタル海峡への道

コロンブスやマゼランが、新大陸発見、航路開拓に
船出した大西洋岸から、民族興亡の歴史の舞台
ジブラルタル海峡へ。それは、この国の栄光と陥落、
そして再生を見続けた道でもある。

夜明けのジブラルタル海峡、赤く染まる朝もやの中、
大型船がアフリカ大陸の山稜を背景に航行している。

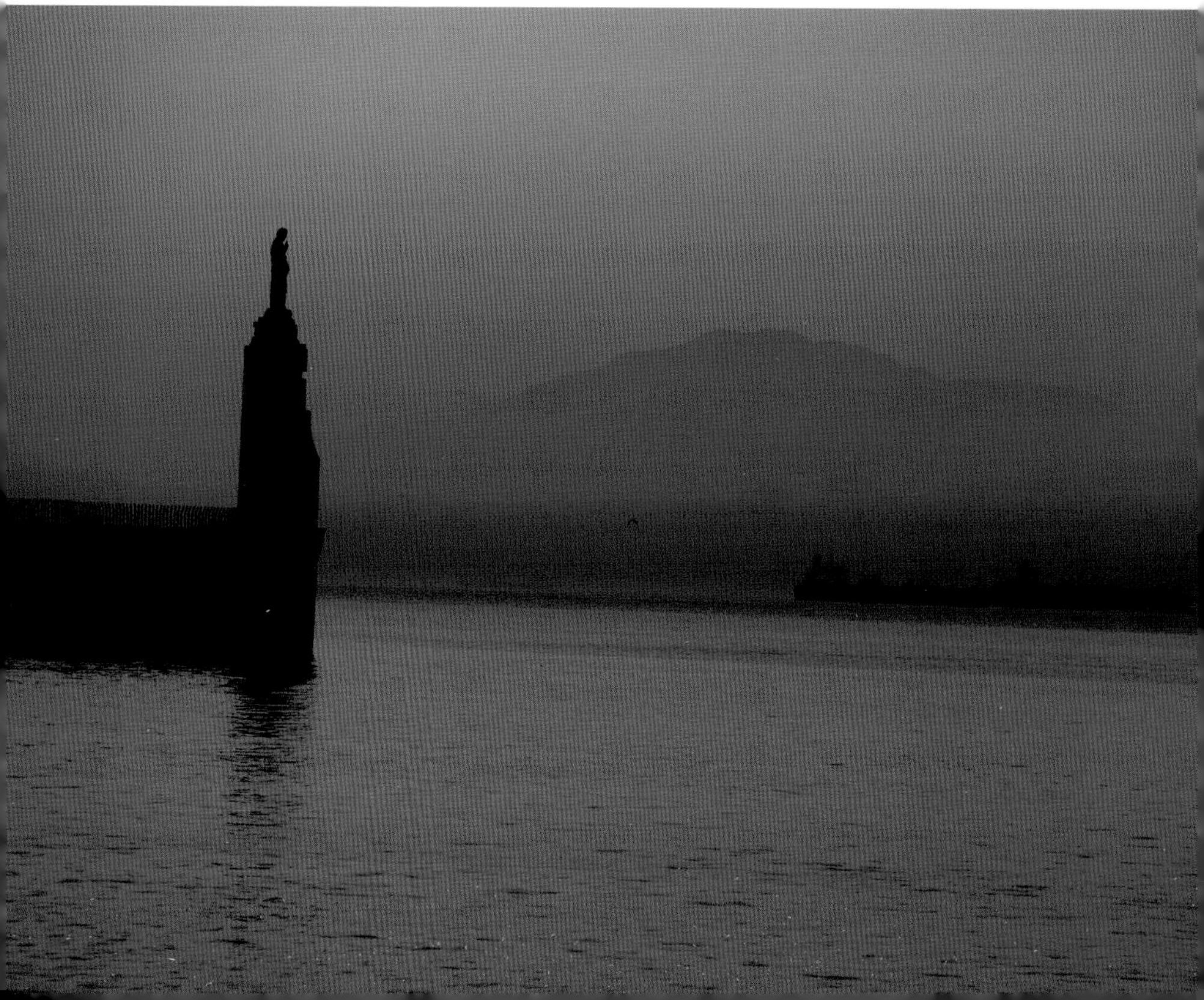

白い村モハカールにて

茜色の夕空とモハカールのシルエット

アンダルシア東端アルメリア県の、さらに北東部、
地の果ての白い村モハカールはかつて、
ヒッピーが世界各国から集まってくる桃源郷だった。

モハカールの夕暮れ

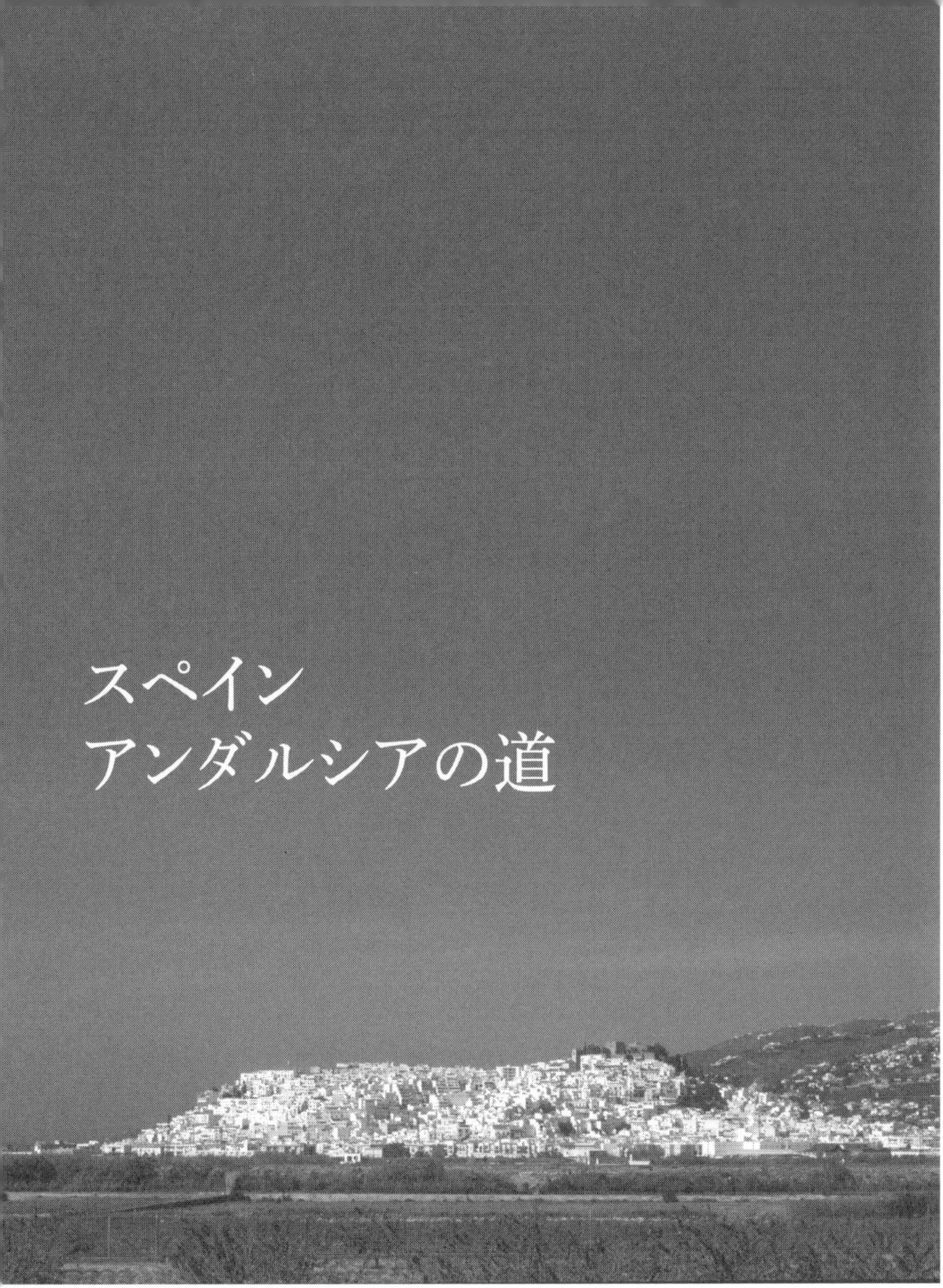

スペイン
アンダルシアの道

フォト&エッセー
石原正雄
ISHIHARA Masao

文芸社

目次

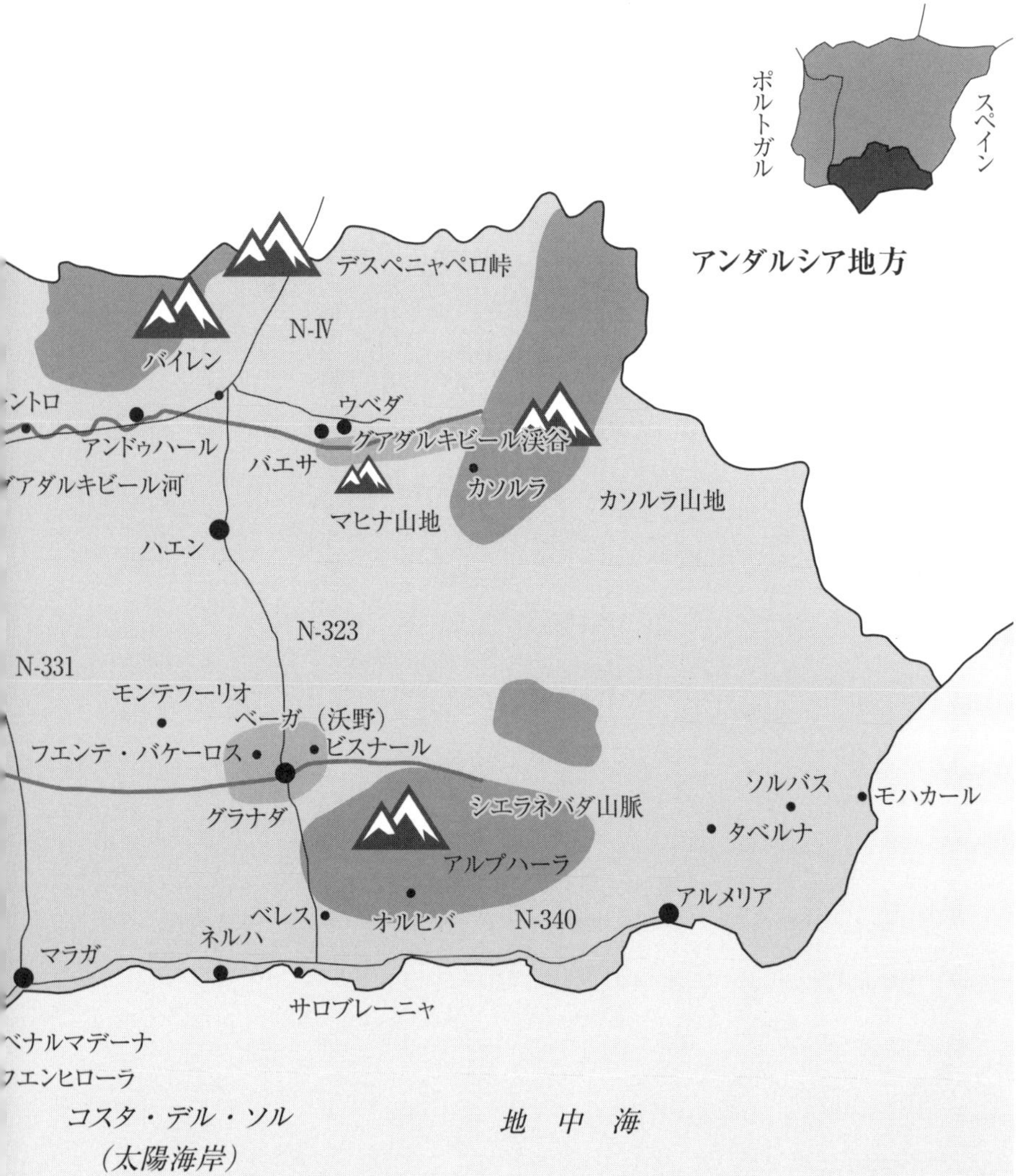

アンダルシア地方
ポルトガル
スペイン
デスペニャペロ峠
N-Ⅳ
バイレン
ントロ
アンドゥハール
ウベダ
グアダルキビール渓谷
バエサ
グアダルキビール河
カソルラ
カソルラ山地
マヒナ山地
ハエン
N-323
N-331
モンテフーリオ
ベーガ（沃野）
フエンテ・バケーロス
ビスナール
グラナダ
シエラネバダ山脈
ソルバス
モハカール
タベルナ
アルプハーラ
アルメリア
ベレス
オルヒバ
N-340
ネルハ
マラガ
サロブレーニャ
ベナルマデーナ
フエンヒローラ
コスタ・デル・ソル
（太陽海岸）
地　中　海

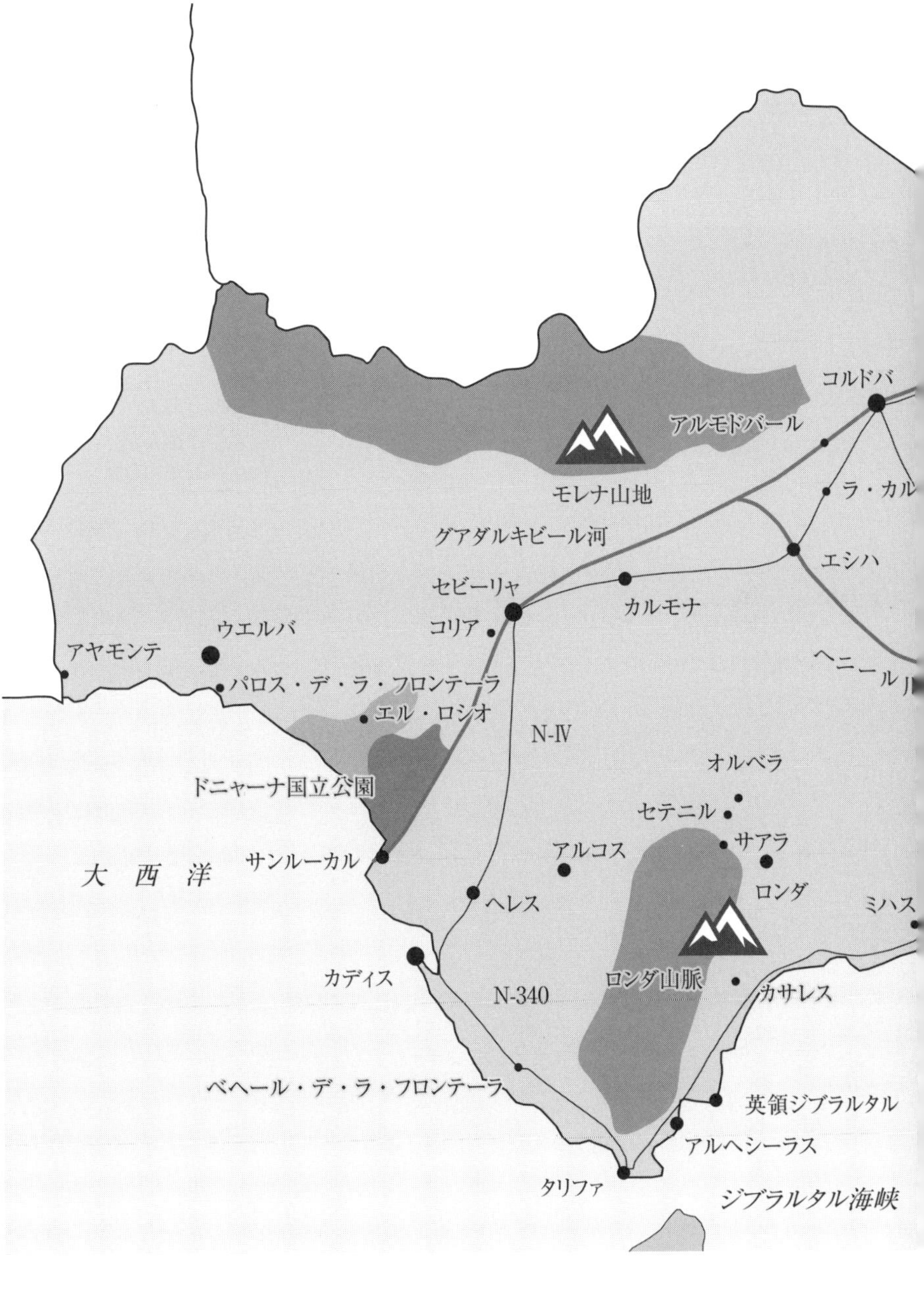

コルドバ
アルモドバール
モレナ山地
ラ・カル
グアダルキビール河
エシハ
セビーリャ
カルモナ
コリア
ウエルバ
アヤモンテ
ヘニール川
パロス・デ・ラ・フロンテーラ
エル・ロシオ
N-Ⅳ
オルベラ
ドニャーナ国立公園
セテニル
サアラ
アルコス
サンルーカル
大 西 洋
ロンダ
ヘレス
ミハス
カディス
ロンダ山脈
N-340
カサレス
ベヘール・デ・ラ・フロンテーラ
英領ジブラルタル
アルヘシーラス
タリファ
ジブラルタル海峡

プロローグ

アンダルシアの道は　白い村や町にいたる

車で旅すると、アンダルシア地方は地形が起伏に富み、山勝ちであることに気付かされる。イベリア半島最高峰のムルアセンをいただくシエラネバダ山脈をはじめ、ラ・マンチャ地方と州境を接するハエン県のカソルラ山地、コルドバ、セビーリャ両県都の北側に位置するモレナ山系、コスタ・デル・ソル（太陽海岸）とほぼ平行に内陸部を南北にはしるロンダ山脈などが横たわる。加えて、グアダルキビール川に代表される河川が、それらの山中に源を発してアンダルシアの大地を貫き、数多の渓谷や丘陵地をつくっている。それゆえ、原野が意外と広がり、寂寞とした風景がしばしば車窓を流れ、さすがに心細さを覚え、行く手に白い村や町を見付けた時の感動がよりいっそう増してくる。そして、ここアンダルシア地方には、白い村や町がそれこそ無数にあった。

私がはじめて、アンダルシアの地を踏んだのは、四十数年前である。

当時、ユーラシア大陸東端の島国に住む多くの若者が、ある人気作家の小説に感化され、シベリア鉄道経由で、欧州へと旅立った。未知の世界への好奇心と冒険心に胸躍らせたのである。私自身は、彼らから数年遅れて、南回りの航空便で渡欧した。渡航先は英国、初秋の頃であった。首都ロンドンにアパートを借りて滞在。秋が深まるにつれ、連日鉛色の空、小雨パラつく天候に嫌気がさした。元来、英国に固執する動機など持ち合わせていなかったので、滞在先を容易に変更。さっそく、ドーバー海峡をフェリーで渡り、そして晴天を求めて、鉄道を使い南下した。

その結果、渡欧当初微塵も考えていなかった国、スペインへ流れ着く。そこではじめて、この国の南部にアンダルシアと呼ばれる地方があると知った。

　一旦帰国後、再度のスペイン渡航、首都マドリッドの下宿屋に居を定めた。その後、知人から譲り受けた中古車ビートルで、アンダルシアを目指した。当時、高速道路は未開通、国道四号線、通称アンダルシア街道が唯一の幹線道路であった。

　その国道を南下。ラ・マンチャ地方の中央台地メセタ、高低差の少ない、赤茶けた大地が、見渡す限り遥か彼方まで広がる。単調な車窓風景に、ともすれば眠気を覚える。しかし、安心するのはまだ早い。メセタを抜けた先には、ラ・マンチャとアンダルシアの州境に立ち塞がる壁、デスペニャペロ峠が待ち構えた。

　峠越えは、急な坂道や九十九折のカーブが連続、まさしく危険と隣り合わせ。過積載の大型トラックが、坂を登れずに立往生。バカンスでコスタ・デル・ソル（太陽海岸）へ向かうフランスナンバー車が、崖の崩落に巻きこまれ、ドイツ青年のバイクが、急カーブを曲がり切れずに転倒した。

　峠を無事越えると、誰もが安堵感にひたった。その後はなだらかな下り坂が続き、快適なドライブ。最初に出会うアンダルシアの白い村はラ・カロリーナ。ここらまで来ると、太陽の輝

きがラ・マンチャのそれよりも、心なしか増した気がする。しかも、赤茶けた大地を見慣れた目には、道路の両側に延々と広がるオリーブ畑、その緑色が爽快にうつった。

やがて、交通の要衝バイレンに到着。首都を早朝に発つと、この辺りでちょうどランチタイム。長距離ドライバー相手の宿泊施設兼バル(居酒屋)が、ロータリー沿いに軒を連ねる。何度かの行き来で、私にも馴染みの店ができた。そこは、昔風の木組み造り家屋で、店先の壁にアズレージョ画、古の時代の農村風景を模したタイルがはめ込まれてあった。

決まって、カウンター奥のテーブル席に座った。周囲を見回すと、年金生活の高齢者が、窓際のテーブルを占め、小銭を賭けてのドミノゲーム。誰かが勝てば、敗者が嫌みの一言。それをきっかけに、他愛のない言い合いが始まった。カウンターへ目を移せば、トラック運転手仲間

が、ビールジョッキ片手に、何事か話し込んでいた。

アンダルシアへ入ったことを実感する瞬間である。そこには、ユッタリとした時間の流れがあった。あの旋律が聞こえてきたら完璧である。それは、カウンター背後の壁に据え付けられたブラウン管テレビから聞こえてくる。

多くの場合、画面は有名タブラオの録画放送。その構成は概ね、ギタリストが弾く手のアップにはじまって、カンタドールが喉奥から絞り出す野太い声のカンテ・アンダルースと続く。場面が突如ロングショットに切り替わって、バイラオーラがスポットライトに浮かび上がる。そしてズームアップ、眉間にシワを寄せた踊り手の表情。フラメンコの激しくも軽快な旋律と、力強く床を踏み鳴らすサパテアード（足踏み）。

アンダルシアの道は、ここバイレンから本格的に始まる。タイル工場の煙突が建ち並ぶ市街地を抜けると、首都マドリッドから走り続けた国道四号線が、三方向へ分岐する。アンダルシアの幹線道路でもあるその国道を道なりに進めば、アンダルシアの母なる大河グアダルキビールと、左岸右岸を頻繁に替えながら共に南西方向へ、イスラム文化が華開いた二つの古都コルドバ、セビーリャを経由し、大西洋に突き出た半島の町カディスへと達する。それに対し、東へ折れると、オリーブ農園がどこまでも広がるグアダルキビール渓谷を経て、グアダルキビール源流域の山岳地帯へ。南下を続ければ、ハエンとグラナダの県境の山々を越え、イスラム文化の至宝アルハンブラ宮殿、そして雪を頂くシエラネバダ山脈へと至る。また、コルドバまで行って、国道四号線と分かれ南へ進めば、地中海の町マラガ、ビーチリゾートのコスタ・デル・ソル、そしてイベリア半島南端のジブラルタル海峡へ到達。

ベーガ彷徨

アンダルシアの道は
グラナダに始まった

グラナダは悲哀に満ちた町である。

崖上の宮殿アルハンブラが、日がな一日、滅びた異教徒の夢を亡霊のように語る。昼間、アラブ風の旧市街、アルバイシンの丘では、荷役のロバが坂道の石畳を、コツコツと蹄の音を響かせてのぼる。その余韻が風にのって、町角の広場に植えられた一本のオリーブへ届くころ、アンダルシアの強烈な陽光を浴びた葉が、銀色にキラキラ煌めく。

夜、名曲アルハンブラの思い出、ギターの物悲しい旋律に誘われて、サクロモンテの丘へのぼると、洞窟に造られたタブラオの中、ジプシー女が情念のフラメンコを踊る。その店明かりに照らされたカジェ（路地）では、野良犬が酔っ払いに足蹴にされて奥へと逃げ去る。その奥は袋小路、街灯の裸電球がポツンと一つともるも、明かりの届かない暗闇がある。

私は若い頃、アルハンブラ宮殿の崖下、詩人ガルシア・ロルカがふるさとの川と詠んだダロ川、その細い流れを窓の下に望む河畔の下宿屋に、数週間程度のごく短い期間住んだ。本国を遠く離れての外国暮らしといえば聞こえはいいが、実情はいまだ仕事の目途が立たず、将来への不安を抱え、鬱屈した日々を過ごしていた。当時の日記を紐解くと、自嘲的な文章が羅列した。例えば、アルハンブラに隣接するヘネラリッフェ庭園のベンチで、噴水の音を聞いて無為の一日を過ごしたとか。

ダロ河畔の家

しかし、転機は突然訪れた。いつものように庭園で時間をつぶした後、不意に夕日が見たくなって、アルハンブラ宮殿の先端にある城アルカバサの物見塔に上り、グラナダ市街とその周辺に広がるベーガ（沃野）の、刻々と変化する色彩を眺めた。

夕日が山々の背後に落ちると、その手前のベーガが急速にかげりはじめる。野焼きの煙が一筋、薄暗くなったベーガに立ちのぼる。次の瞬間、真っ赤な炎柱が、空へ向かって燃え上がった。

「あそこには、人々の日常がある」

数日後、ダロ河畔の下宿屋を引き払った。レンタカーを借りて、唯一の持ち物であるリュックサックを車のトランクへほうり込み、ベーガへと飛び出した。しかし、明確な行く当てなどなかった。漠然と、野焼きの煙の正体を確かめること、そして最近読んだばかりの詩集の作者、ガルシア・ロルカの足跡をたどることを決めた。

詩人の生誕地は、フエンテ・バケーロス村。グラナダ市街の西、国道沿いの町サンタ・フェを過ぎた辺りで脇道に入って、詩人がふるさとの川と詠んだもう一つの、ヘニール川架橋を渡ると、その村は現れた。高い建物が教会の鐘楼ぐらいの、アンダルシアのどこにでもある扁平な農村。

村内を歩くと、昼間の熱気がそこかしこに充満。道路は、アスファルトがはがれたままに放置され、車が通る度に砂埃を舞い上げた。その道路の交差点に植えられた大樹の木陰では、二匹の野良犬が腹を上にして無防備に眠っていた。

ロルカ生家（フエンテ・バケーロス村）

生家は、案内ボードがなければ、見過ごしてしまいそうな長屋の二階。記念館がその近くにあった。メガネをかけた亜麻色髪の女性館員が国籍を訊ね、それに答えると、「アナタの国の翻訳本もあるわよ」と背後の書棚を示した。なるほど、世界各国の書籍に並んで、和訳の本が数冊あった。

館内を一通り回り外へ出ると、子供の甲高い声が裏手のカジェ（街路）の方角から聞こえた。声のする方へ角を曲がると、家族であろうか、男女の大人二人と、小学校低学年の子供二人。道端にテーブルを出して食事の準備をしている。子らは落ち着きがなく、オモチャの鉄砲で追い駆けっこをはじめる。父親らしき、小柄な男が、「小僧ども。おとなしく座っていろ」と癇癪を起こした。母親らしき女は、テーブル横の地べたに携帯ガスコンロを置き、フライパンで調理中。いつものことなのか、父子の騒ぎを気に掛ける様子がない。

彼女の服装は、アンダルシアの大方の女性とはどこか異質。黒いスカーフを頭に巻き、くるぶしまで隠れる長裾のスカートをはく。おそらく、この国でヒターナと呼ばれるジプシー女性であろう。

そういえば、詩人は、幼年期を過ごした時代、ジプシーが身近に暮らしていたので、シンパシーを持っていたのであろうか、彼らについての詩を数多く詠んでいた。

月よ　お逃げよ、月よ、月
もしもジプシーが来てごらん
あんたの心臓で　首飾りや
白い指輪を作っちまうよ。
（角川書店刊『ロルカ詩集』
小海永二訳より抜粋）

車は、ヘニール川沿いの、ポプラ並木が両側一直線に伸びる道路を走った。それは、あたか

ベーガの大地に立つ羊飼いの男

もシンメトリーな矢印のように見え、向かうべき方角を暗示。その指示通りに車を走らせると、いつしかヘニール河岸を離れる。視界が一気に開け、大地主所有の農耕地が広がる。トラクターが表土を掘り起こして間がないらしく、土くれが剝き出しになっている。その傍らの道路に車を停め、ドアを開け、風にあたった。

農地の対角線上の端に、洗濯槽から吐き出された白い泡のようなものがうごめき、それは瞬く間に広がって、こちらへ近付いてくる。ヒツジの大群であった。車外へ出て、カメラを構えると、先回りしてきた牧羊犬が、不審者かと執拗に吠える。群れの最後尾に追いついた羊飼いの男が、口笛を吹いて犬を制止した。

紺色のマフラーを頭から首にかけて防寒着のようにスッポリと巻く初老の男。マフラーの間からのぞいた顔は、無精ひげを伸ばしていかにも取っ付きが悪そうである。しかし、挨拶すると、目尻にシワを寄せ、人懐こい笑顔を返した。

「ヒツジは帰り道を知っているのですか」

「ああ、もちろんさ。まあ、中には逆らうヤツもおるが。しかし、コイツがうまく誘導してくれるさ」

羊飼いはそういって、犬の頭をなでた。

長年疑問に感じていたことへ、ごく当たり前の返答であった。それ以上の、どんな答えを期待したのか。

羊飼いと別れ、どこをどう走ったか、気付いたら、ベーガでは比較的大きな町の中心広場に来ていた。時刻はランチタイム、広場に面したレストラン、そのテラス席に座った。食事中、一台の軽トラックが現れ、グラナダの祭事にあわせて開催のサーカスについての告知を、大音響のスピーカーで流している。助手席に座るピエロ衣装の男は、視線が合うと、花柄の大きな手袋を愛嬌たっぷりに振った。

伝記本によると、詩人はアンダルシア各地で戯曲の上演を主宰したとある。だとしたら、劇団員一同と共に、町から町へ旅回りしていたとも考えられる。昔観た日本映画で、旅回りの一座が幟旗をかかげながら、温泉街を三輪トラックで走り回るシーンがあった。詩人もまた、トラックの荷台に積まれた小道具の間で横になって、アンダルシアの青空を見上げただろうか。

「グラナダのアルカバサから眺めた野焼きの煙かしら」

町外れまで来ると、白煙がモクモクと立ち昇っている。車をその方向へ急がせると、それは、レンガ工場の煙突から吐き出されていた。私はガッカリしながらも、工場脇の坂道の路肩に車を停めて、敷地内を俯瞰する。数人の工員が働いていた。土をこね型にはめる者、長い平板にそれらを載せ運ぶ者、そして焼窯に燃料の木材をくべる者。白砂の撒かれた敷地が、陽光を眩しく反射。つい今さっき詩人の戯曲を連想したためか、彼らの動きが、舞台で催されるパントマイムのように見えた。

工場脇の坂道をそのまま上ると、ベーガの端にあたる丘陵地へでた。幾重にも連なる丘は全て、木々が斜面をせり上がって並列するオリーブ畑。数棟の家屋を持つ大農家が、丘と丘の間に距離を置いて点在。そんなオリーブの農村風景を車窓に見ていると、白煙が前方で立ち昇った。

「今度こそ、本物か」

車を走らせた。そこは、広い敷地を持った農家の庭、白ペンキで塗られたレンガ塀が周囲をグルリと囲む。濃い緑色の葉をもつウバメガシが鬱蒼と茂って、中を窺い知ることができない。それにしても静かで、焚火のはじける音さえ聞こえてこない。グラナダのアルカバサで思い描いた野焼き、農夫とその家族が囲む焚火とは、どうやら違うようだ。近寄りがたい雰囲気がある。確かめようかと思い、鉄製の門扉へ近付くと、放し飼いされていた大型犬が、カシの茂みから勢いよく飛び出してきて、威嚇するかのように吠えた。

結局、煙の正体解明を諦め、その場から立ち去った。


この日最後の目的地ビスナール村へ。その途中、ローカル道の傍らに、瀟洒な一軒家を見付けた。レストラン兼バル、ブーゲンビリアの赤い花が、二階のベランダからたれ下がっている。日は傾き始めているが、腕時計を確かめると、落日までにはまだ時間がある、店内で一息つくことにした。

店は老舗の風情。重厚な木製テーブルとイスが配置され、真鍮製の甲冑が壁際に飾られていた。カウンター内には、銀髪の高齢女性と若い男の二人。女性の方が店主らしく、テキパキと若者を指示した。

カウンターの壁際のストゥールに座って、カフェ・ソロを注文した。何気なく、横の壁に掛けられた写真額を眺める。セピア色に変色した軍服姿の肖像写真。意志の強そうな尖った鼻筋に、権威に満ちた鋭い両目。ちょっと見では分からなかったが、壮年期のフランコ総統その人。

総統が亡くなったのは七五年。まだ数年しか経ていないとはいえ、七七年から民主国家に生まれ変わったこの国、信望者が堂々と、こうして写真を飾っていることに、少なからず驚かされる。あの悲劇の現場となった、ビスナール渓谷へ向かう前に、よりによってその張本人である総統の肖像を見る羽目になるとは。店へ入ったことを後悔し、気持ちが落ち着かなくなった。

もっとも、女性店主は終始無愛想だったが、別段黄色人種を差別する風ではなかった。むしろ、背後のテーブル席を囲む老人連中のほうが不気味であった。彼らは、店のドアを開けた瞬間から、射るような鋭い視線を投げかけ、あの同じ視線を今もまだ私の背中にまとわりつかせている。監視者の眼と言ったらよいか。それはまあ考え過ぎかも知れないが……。

コーヒーを急いで飲み干して、店を出た。車に戻っても、動悸が激しかった。運転席の背もたれに体を預け、タバコに火をつけ、詩人の伝記を思い返した。

時代は欧州戦争前夜の三六年、スペインの政治混迷期。フランコ将軍指揮下の北アフリカ駐屯軍が、選挙で選ばれた民主派の共和政府に反旗を翻した。右翼組織ファランヘ党がそれに呼応、スペイン各地で武装蜂起し、民主派と衝突した。所謂、スペイン市民戦争の勃発。

開戦時、吟遊詩人ガルシア・ロルカは、故郷のグラナダへたまたま帰省していた。彼の言動を苦苦しく思っていたファランヘ党のメンバーは、その機をとらえ、彼の住居を急襲した。

ベーガ北東端に連なるラ・ジェドラの山々、白い村ビスナールはその中腹にある小集落。わずか数十戸の民家と教会が、急な坂道の両側沿いに軒を連ねる。その道の先は、木々が繁茂する奥深い森、行き止まりである。その手前で曲がると、白い村アルファカールへと通ずる道路に入る。山腹沿いを西へ一キロほど回り込めば、目的地のビスナール渓谷。

そこは、誰もが想像するような断崖絶壁の深い谷間ではなく、マツやダケカンバ等の木々が繁茂、どちらかと言えば、森林に近かった。吟遊詩人にして戯曲家のフェデリコ・ガルシア・ロルカは、スペイン内戦勃発時、グラナダに帰郷中をファランヘ党員に襲われ、拉致されてこの地へ連れてこられた。時同じく強制連行された民主派の活動家と共に、自らの墓穴を掘らされ、無惨にも銃殺された。

当時の痕跡は勿論跡形もない。雑木林の中の草地、オリーブの木が一本、葉を枝先にまばらに付けたか弱い姿で立っていた。そこが終焉の地らしい。石碑が、根元付近の土に下半分を埋もれさせている。よく見ると、石碑の角がギザギザに欠け、風雨にさらされた年月を物語っていた。

詩人ロルカが暗殺されたのはおよそ半世紀前、この国ではすでに、忘れられた存在なのか。私はため息をつき、激しい疲労感に襲われた。

渓谷を出ると、すでに夕暮れだった。ラ・ジェドラ山腹の周回道路の端に立って眼下を望むと、ベーガ全体が暗紫色のモヤに包まれ、点在する村落の境が不鮮明になっている。野焼きの煙が、ベーガのあちこちで立ち昇ってはいるが、勢いを失って薄灰色に沈んでいた。漆黒の夜が、すぐそこまで来ている。それにともなって、村落の外灯が、ハッキリとした明かりの点となる。

ベーガ反対側の端、あのひと際明るい光芒は、今朝出奔したばかりのグラナダ市街地にちがいない。私は、そのハレーションを凝視しながら呟く。

「今日一日、オレはいったい何を求め、ベーガを彷徨したのか」

ロルカ暗殺の地

海への道

アンダルシアの道は
グラナダから地中海へ

グラナダとその周辺に広がるベーガ（沃野）は、同じ価値観を有する運命共同体のようなもの。

地形は、四方を山々に閉ざされた高原盆地、南には雪を頂くシエラネバダ山脈、北にはハエンとの県境に横たわる山地、東にはラ・ジェドラの山塊、そして西には大河グアダルキビールの支流のヘニールが削った険しい渓谷があって、人々の往来を妨げた。

文化は、イスラム教徒支配の最後の王国、グラナダ王朝がこの地で長く続き、多大な影響を受けた。実際、王朝時代の遺構であるムーア人（北西アフリカのイスラム教徒、主にベルベル人）の要塞や物見塔等が、グラナダをはじめベーガ各地に遺されている。

私は、グラナダにごく短期間滞在しただけの、いわば通りすがりの旅人にすぎない。それでも、山々に囲まれた狭い空を見上げる度に、閉塞感を覚え、海への渇望を持っ

アルハンブラ宮殿とベーガ

た。かくして、グラナダでの忸怩たる生活に見切りをつけると、地中海へ向かったのは、自然の成り行きであった。

その『海への道』のルートは、幾つかある。私が専ら利用したのは、最短ルートの国道三三二号線で、シエラネバダ山脈西麓の山間部を抜けていく。現在、高速道路が開通、アッという間の距離である。しかし、頻繁に利用したあの時代、国道の一部が、山間の狭隘部を貫く区間になっていて、それなりに険しい山道であった。

ここでは、『海への道』の、当時の記憶を呼び起こすと共に、その後の旅を補足して記述。


車はグラナダを出ると、ベーガ南部の農村地帯、詩人ロルカの生誕地フエンテ・バケーロス村のような、扁平な村落の間を抜けた。そして徐々に高度を上げて、いつしか山間部へと吸い込まれていく。国道沿いの農地は、栽培される作物が、オリーブから寒暖差に強いアーモンドへと変わった。

農地が消え、木々の緑が濃くなると、やがてシエラネバダ山麓の谷間へと分け入った。高い山々が両側から迫りくる。視界が狭められ、山越え街道の趣。この街道沿いに連綿とつづく小集落は、車がなかった昔、さしずめ宿場町といったところか。きっと、荷役のロバや馬車が行き交い、陸の農産物と海の海産物を運搬、交易路として賑わったにちがいない。

白い村ドゥルカルは、その時代の繁栄を今に伝える。シエラネバダ山中の奥懐にあるにもかかわらず、ドゥルカル川が流れる盆地状の平坦地に開けて、民家の戸数が想像する以上に多かった。

車は、その村を抜けると、いよいよ谷間の狭隘部にさしかかる。崖沿いを走って、海抜高度を上げた。ドゥルカル川の堰止湖、ベスナールの青い水面を、眼下遥か彼方に望む。やがて、それも見えなくなると、谷を挟んだ向かい側の山の中腹に、名も知らぬ白い集落を認め、遂に、この国道の最高点である峠に到達。

朝早くにグラナダを出発すると、ここらではまだ昼前の時刻。私はしばしば、国道から分岐する州道へと進路を変えた。その道は、シエラネバダ山脈南麓に広がるアルプハーラと呼ばれる地域へと通ずる。そこへの旅は、『アルプハーラ山村紀行』の章で詳述するので、ここでは割愛。

峠を越えて、国道を道なりに南下。いつのころからか、ダム湖が車窓に現れるようになる。だからと言って、それ以前の風景が、今一つ不鮮明。おぼろげな記憶では、アカマツの灌木が赤茶色の砂礫層の崖に生えて、森林というより雑木林に近く、変化の乏しい単調な山道であった。林業を生業とする数戸程度の小集落が幾つか、林の中に見え隠れしていた気がする。

少年と出会ったのは、それら小集落のどこか。あの時、少年は、木工所の材木置き場で丸太に腰掛け、近くで草を食むヒツジの番をしていた。

「カラテ、オンダ、サンジョー」

少年は、こちらが日本人だと知ると、そう言って笑った。当時、アンダルシアの村では、日本もしくは日本人についての知識が、ほとんど皆無。この国で有名な、かの国の武道、バイク、電器メーカーの名称を、この少年のように連呼する程度。まあ、それでも、口調には、多少の敬意がこめられ、悪意がなかった。

しかし、その正反対の事例は多々あった。親世代の差別意識がそうさせるのか、実物の東洋人を見たことのないはずの、村の子らが、彼らにとっての東洋人、すなわち中国人の蔑称「チニート（小さな中国人）」と口々に囃し立て、自らの無知をもわきまえず面白がった。

その点、少年は終始友好的で、人懐こい笑顔を絶やさなかった。うろ覚えの空手の形をしてみせると、教えてくれとせがんだ。それにしても、夏休みにはまだ早い季節。家の手伝いで、ヒツジの面倒を見ていると言っていたが、学校へは通っていたのだろうか。アンダルシアの農村が貧しかったあの時代、少年の履き古した運動靴、そのつま先部分の大きく開いた穴が、気になって仕方なかった。

ベレスのムーア人の古城

ダム湖は、数々の記憶を湖底に沈め、波静かな水面にアンダルシアの青空を映していた。車は、その湖岸沿いを大きく回り込み、ダムサイトの分厚いコンクリート壁を横目にしながら、更に南下を続ける。やがて、国道沿いの丘に、白い村ベレス・デ・ベナウダリャが現れた。

そこは、グラナダから続いた国道が、地中海を前にして、最後に立ち寄る村落である。ムーア人の古城が、ひと際高い丘の頂に屹立し、眼下の村落を睥睨。重々しく無骨な城塞は、石垣が長い歴史の風雪を物語って薄墨色に変色、ツル科植物が石垣の欠けた隙間に根を張っていた。シエラネバダ山脈の、雪を頂く高峰が、古城の背後に連なる茶褐色の山並みの上に顔をのぞかせ、アンダルシアの青空を鋭角的に切り裂く。

「あの雪山はきっと、歴史の変遷を見つめてきたにちがいない」

私は、グラナダで栄華を誇った異民族に、思いを馳せる。

グラナダ王朝滅亡後、王族一家は、逃避行の途中、この城へ立ち寄ったに違いない。彼らは、アルハンブラのコマレスの塔にのぼって、杯を酌み交わし、あの白い稜線をめでた。それが一転、追われる身となった彼らの目には、あの雪の山稜はどう映っただろうか。

『海への道』の最終関門にさしかかる。そこはまさしく、内陸側から海側へ抜ける最後の難所。断崖絶壁が、道の両側をほぼ垂直にそそり立つ渓谷。道幅が狭く、人工的に掘削された回廊のようである。日差しが崖に遮られ、谷底まで届かないので、昼でも薄暗さが残る。とは言え、両側の断崖に狭められた上空は、光がすでに満ち溢れ、もう地中海の青空そのものだった。

その眩しさに目を細め、またしても王族一家、数多いたであろう異母姉妹の一人に思いを馳せる。

娘は、馬車の中、着の身着のままでの逃避行、打ちひしがれる姉妹を横目に、窓のカーテンを少し開け、頭上の空を見上げた。光が満ち溢れ、まだ見たことのない青空が広がっている。娘は、

サロブレーニャ周辺の農地と地中海

他の姉妹に気付かれぬように頬を緩める。なぜか、悲哀感が湧かない。それどころか、大海原への期待感が胸奥で膨らんだ。

渓谷を抜け出た。地中海の陽光が、車のフロントガラスへ押し寄せる。有り余る光量に目をしばたたかせ、思わずハンドルを握る手に力を込めた。目がその光に慣れるにつれ、落ち着きを取り戻し、山中で抱いた閉塞感から解放されていく。

車窓を流れるのは、シエラネバダ山脈とその周辺の山々の土砂が、雪解けの鉄砲水で大量に流され、堆積して造られた扇状平野。農地が、その平野に広がる。栽培される作物は、山国とはガラリ変わって、オレンジ、レモンなどの柑橘類に加え、南国を思わせるサトウキビ、ナツメヤシ等々。

白一色の小高い丘が、平野の彼方に遠望される。白壁の民家でビッシリと覆われた台形の丘は、農作物の種類で微妙に異なる緑のグラデーションの上に、浮揚しているかのように見えた。『海への道』の終着地、白い村サロブレーニャである。ここはまた、コスタ・デル・ソル（太陽海岸）に連綿と続く白い村や町の一つで、三叉路の分岐点でもある。西へ向かうと、マラガ県の県都マラガ、東へ向かうと、アルメリア県の県都アルメリア、両県都への起点になった。

この村にたどり着いた最初の旅で、私は、丘の頂にあるムーア人の古城アルカバサの物見塔にのぼって、地中海の大海原を望み、「グラナダでの日々に終止符を打った」と晴れやかな気分になった。

その後、村内を歩いた。細い坂道と横道のカジェが交差する四ツ辻まで来ると、小商いの店があった。品数少ない野菜を店先に並べて売っている。奥は裸電球が一つ点るだけで、外光に慣れた目にはひどく暗かった。

若い女性が、店奥にポツンと座る。水色のへジャブを頭に巻いていた。突然店に入ってきた東洋人に驚いてか、彼女は一瞬顔をこわばらせる。それはこちらも同じ、予期せぬアラブ女性との出会いに、戸惑いを覚えた。サクランボを買いながら、内心では、「滅びた民の末裔か、それとも現代の移民の子孫か」と思った。

同時に、この村はどうやら、古の時代の逃亡の地であったばかりでなく、この時代にあっては再生の地でもある、との肯定的思念が胸中をよぎった。

この村で強く印象に残ったことが、他にもある。それは、最初の旅であったか、その後間もなくの旅であったか、定かでないのだが。

当時、村は甘蔗糖が主力産業。サトウキビ畑が、周辺農地の大半を占め、製糖工場の太い煙

ロバがいる風景・山道にて

ロバがいる風景・カジェにて

突が、青空へ煙を噴出させた。村落のある丘の麓から、海の家が数軒立つ程度のひなびた砂浜までの、約一キロにわたる平坦地は、無数のサトウキビが、先の見えないぐらい背の高い穂を、潮風になびかせていた。

カメラ片手に農道を歩いていると、収穫作業中の一家と出会った。父親らしき年長の農夫がナタで茎を切り倒し、十代後半の息子二人が束にして積み上げ、母親らしき中年女と老爺が協力して、それらの束を路傍に置かれた荷車まで運んでいた。彼らは皆、顔や手足などの、肌が露出した部分をキビの汁で真っ黒にし、黙々と働いていた。

東京下町育ちで、家族総出の農作業を実地で見た記憶がなかったので、その光景が新鮮なものに映った。

家族と共に働くロバの姿にも深く共鳴。長い耳から尾の付け根までが、サトウキビの液汁でまだら模様。荷車の脇で待機中のその動物は、大きな黒目で道路の一点をジッと凝視したまま、身動き一つしなかった。その寡黙な態度に、俗世間を逃れ山奥に籠る修道者と重ね合わせる。そんなバカな、ただの使役動物にすぎない、と他人は言うかもしれないが。

ちなみに、当時のアンダルシアでは、ロバはごく身近な生き物だった。車でアンダルシアの道を走っていると、農地で、山道で、そして町中で度々目にした。

白い村イタリカでの、ロバがいる風景は、今でも忘れ難い。そこは、セビーリャ近郊の、ローマ遺跡の闘技場が遺ることで知られる程度の寒村。あの日、セビーリャ発の路線バスに乗って闘技場前のバス停で降り立った途端、農作業へ向かう時間、夥しい数のロバと農夫に囲まれた。ロバの手綱を引く農夫、ロバの背に跨る農夫が、村の主要道路に溢れる。この小さな村のどこにこれだけの数のロバがいるのかと、正直仰天した。

モハカールの道

アンダルシアの道の東の果てに
白い村モハカールがある

私は、岐路に立たされていた。スペインにこのまま留まるべきか、それとも一旦帰国して出直すべきか。その答えを求め、アンダルシアの東の果て、アルメリア県の県都アルメリアを目指した。

その来訪時の記憶がなぜか、曖昧模糊としている。要塞アルカバサ、旧市街の家並みを睥睨する高台に立つ、アンダルシアでも指折りの巨大建造物については、かすかに覚えている。しかし、その他のことになると皆目、どこに泊まったのか、どこで何を食べたのか、まったく

覚えていない。要塞の城門前で、土地の子らを集めて撮影したスナップ写真が、手元に残されているので、行ったことは確かなのだが。

もっとも、絶対に忘れることのできない出会いが、バスターミナルの待合室であった。同年代の日本人女性、絵の題材を求めて取材旅行中の画家に、「この県の北東部に、スペイン一美しいと、国に認定された村があるわよ」と教えられ、そこで初めてモハカールの名を耳にした。

彼女と別れると、何の予備知識もないまま、モハカール行の路線バスに飛び乗った。そのバス旅については、記憶が不思議と鮮明であった。

ここでは、その『モハカールの道』の、経路と現地での顚末を述べる。


バスは、市街地を抜けると、アルメリア県内陸部の奥へとひた走った。その車窓風景は、驚きの連続。少雨乾燥の地中海性気候のアンダルシア地方ではあるが、これほどとは予想外であった。大地は、砂礫地層剝き出しの岩盤が方々で突出。これをどう表現したらよいか、個人的には、土漠もしくは半砂漠の印象。実際、草木の緑は極端に少なかった。時折、涸れ谷ワジの筋が道路を横切って、木々の緑がその筋に沿って延びる。他に植物らしい植物といえば、オカヒジキの仲間の回転草ぐらい。それは、長い茎がムラサキウニのトゲのように何本も延び、大地を渡る強風にまかせて、前後左右に激しく揺れた。

シエラネバダ山脈東麓、タベルナ渓谷の辺りまで来ると、やっと、半砂漠地帯を抜け出た感がした。鋭くとがった岩山の頂にムーア人の古城が聳える、白い村タベルナの、街道筋の様な長い家並みを抜けると、木々の緑が多少増える。とは言え、農地と呼べる程の、作物栽培地は見当たらなかった。

いつしか、針葉樹の並木が車窓を流れ、数戸程度の小集落が、その木々の合間に見え隠れした。あれはどこであったか、バスが久しぶりに停車、作業着姿の男三人が、ドヤドヤと乗り込み、後部座席に陣取った。

どうやらこの国でヒターノ（ジプシー）と呼ばれる人々らしい。一番年下に見える若い男が、前席の東洋人に気付き、小袋に入ったヒマワリのタネをすすめる。食べ方を知らないと断ると、彼はタネを幾つかまとめて頬張り、からを床へ吐き捨てた。その食い散らかし方が尋常ではない。他の乗客は、見て見ぬ振りをした。

バスがふたたび停まると、彼らは乗ってきた時と同様、騒がしい物音立て、降車した。その際、最年長の男が肩に掛ける布袋から、カマの刃がのぞく。どこかで農作業の手伝いをするのだろうか。

車窓に額を押し付け、周囲を見回した。不思議なことに、農地らしき緑も農家も見当たらない。

「果たしてこの先に村はあるのか」

不安感が脳裏をよぎる。しかし程なくして、待望の村落が眼前に現れた。白い村ソルバスである。

バスが村の入口で停車すると、アルメリアから同乗の数人が降りた。乗車した人はいない。バスはその後、坂道を下って、断崖が両側から迫る渓谷へと入った。今通過してきた村落が、アンダルシアの青空を背景に、一筋の白線となって崖の上を横へと延びる。

その渓谷を抜けると、平野部に出た。それに伴い、農耕地が車窓にポツポツと現れ始める。農業はやはり水が必要、川が流れていた。土手が、その細い流れに比して、幅広く造られている。大雨が降れば、氾濫することもあるのだろうか。ヤナギ科の木々が、その土手の上を長く延び、緑の帯となって蛇行した。

バスは、その帯に導かれて前進。しばらくすると、ほぼ正確な円錐の形をした小山が、各所でボコボコと盛り上がる。その特異な自然造形に見惚れていると、開け放たれた窓から吹き込む風に、潮の香を嗅ぐ。

「地中海はもう近い」

そう呟いて間もなく、黒い壁が道路の前方に立ちふさがった。尖った中央峰とそれに連なる峰々が、地中海と陸地との間に横たわる。その壁は、近付くにつれ、段々と大きくなる。カーブを曲がると、白一色に覆われた小山が、黒壁の足元付近に突如出現。白い村モハカールである。

なるほど、スペイン一美しい村に選ばれただけのことはある。背後の山稜を、夜明け前の暗い森に例えたとしたら、白い村落は、眠りから覚めてエサを求め、今まさに飛び立たんとして翼を広げる、白鳥の姿といえなくもない。

夥しい数の白壁民家が、岩山の急斜面を階段状に埋め尽くしていた。その形態自体は、ここアンダルシアでは殊更珍しくもなく、各地に散らばる鷹ノ巣村と同じに見える。だが、この村には特有の、家作構造の違いがあった。民家の大多数が、屋根瓦のない、長方形の箱型。つまり、白色の積み木を重ねたような造り。一見したところ、砂漠のオアシスの村にありそうな、エキゾチックな佇まいであった。

岩山の麓でバスを降車。山頂にある中心広場を目指して、坂道をのぼる。歩き始めてわずか数分で、違和感を覚えた。アンダルシア東の果ての僻村と思い込んでいたが、見事に裏切られた気分。無秩序とも思える騒めきが、村内のあちらこちらから湧き上がって聞こえた。

坂道の途中にある小階段を上ると、その喧騒の一端が分かった。車一台通れないぐらいに狭い、上下の家の間の小道に、テント庇を持ったバルが店を構え、立ち飲み用スタンドが数脚、路上に置かれていた。多数の客が輪になって、スタンドを囲む。瓶ビールをラッパ飲みする男がいれば、店内音楽に合わせ腰を振る女がいた。

中心広場につく頃には、ここはただの僻村ではない、とさすがに気づく。後で知ったことだが、ここモハカールはヒッピーが集まる村として、知る人ぞ知るであった。個人的に、地中海バレアレス諸島のイビサがヒッピーの島として世界的に有名なことは知っていたが……。

二、三日の滞在を考え、サンタ・マリア教会裏手のオスタルに宿泊した。

これといった目ぼしい観光資源がなく、行動する範囲は限られた。主に、宿と中心広場であるヌエバ広場との往復。その広場は、人々の往来が朝から深夜まで続き、見ているだけで飽きなかった。

朝の時刻、村のいつもの生活が始まる。村人が市場への買い出しのために行き交い、学童が一人二人と待ち合わせカバンを肩に掛けて登校。人々の往来が一段落すると、バルのオヤジが、店先のテーブルにクロスをかけ、メニューを置き、イスを揃え、ランチの準備。やがて、昼時の喧騒が湧き上がる。それが毎日の儀式のように一通り終わると、バルの扉が閉められ、人の姿が広場から一時的に消えた。この国の伝統的習慣、シエスタの時間である。

アンダルシアの太陽が傾き始めると、人々がどこからか続々現れた。長髪に着古したジーンズの男女が、歩道にシートを広げ、手作りのアクセサリーなどを並べる。バルの店内からあふれ出た村人や観光客は、彼らのシートの脇でアルコールのグラスを手に立ち話。学校帰りの子らは、彼らの店をのぞき込み、時折彼らと追い駆けっこ、無邪気にじゃれ合った。

無秩序な騒めきの本番は、外灯がともり、店明かりが外の石畳を照らす時刻。この小さな村のどこにこれだけの人がいるのか。村人、ヒッピー、観光客入り混じっての喧騒が錯綜し、バルの音楽がボリュームを上げた。そして、子らの遊び回る声が広場を囲む建物にこだました。それらの重層的な音は、冷気が支配する深夜遅くまで、いつ果てるともなく続いた。

ところで、ヒッピーはほとんどが、欧米先進国の出身者。いわば、よそ者の外国人である。それなのに、彼らの態度が傲慢で、行動が放埒に思えた。しかし、日々の生活に汗する村人は、彼らを気にする風でもなかった。両者の間には、絶妙な距離感が保たれているようにさえ見えた。

私もまた外国人の一人。村人の穏やかな視線に、居心地の良さを感じ始め、滞在を一日伸ばしにした。

そうこうしている間に、敬遠していたヒッピーの幾人かとは、顔見知りになる。こちらの語学能力不足で、意思疎通が万全ではなかったが、簡単な会話を交わし合うまでになる。彼らは、それぞれの事情を抱え、一様ではないのだと認識。共通していたのは、己の生き方を求める独自性と、社会の束縛を拒み、他人への不干渉を貫く心情であろうか。もちろん、ただ単に村へ寄生して、日々過ごすだけの、無為の輩が多数いたのも事実だが。

ドイツ人のヒリーは、ヒッピーというより、世界放浪の途次たまたまこの村へ立ち寄った旅行者。同じ宿の朝食で顔を合わせ、親しく会話する仲に。身の上話によると、両親は東ドイツからの亡命者、彼自身は亡命先のハノーバー生まれ。明確な東西差別を受けた意識はなかったが、それでもどこか根無し草の感情を持っていたという。大学を長期休学、一年間の放浪の旅へ。イスタンブールを経由して、陸路でインド、東南アジア方面へ。オセアニア、太平洋の島々を巡って、北米大陸そして南米を周遊。ブラジルからの船で大西洋を渡ってポルトガルへ着き、ジブラルタル海峡を経て、地中海岸沿いにここへたどり着いた。

「世界を回って、何か分かったことは」

「放浪とは青春そのものであり、そして青春の終わりを自覚することである」

ヒリーは、生真面目な口調で持論を述べた後、大学に戻って、やり残しの研究を続けると付け加えた。

年齢不詳の金髪男は、アルゼンチンのブエノスアイレス出身。大柄な図体に似合わず、手先が器用なようで、自作の手作り人形を売っていた。渡西の理由は言語が同じだからかと訊くと、用心深く周囲を窺い、声を潜めて曖昧な返答に終始。彼と懇意な仲間によると、軍事政権反対のデモに参加、亡命を余儀なくされたらしい。

私と同年代、もしくは年下の若者が大勢いた。スイス人の男は、ニキビ面であどけない表情。他人との会話を避け、いつも俯き加減。目が悪いのか、テーブルにつくぐらい顔を近付け、銀の指輪をひたすら手彫り細工。自尊心の塊のような、長髪のフランス男は、作風がモネそっくりの、自作の絵画を何枚も壁に立てかけ売っていた。念入りに観察していると、「オレはモネが大嫌いだ」とこちらの機先を制した。

饒舌な男がいた。彼はアフリカ系アメリカ人、軍人恩給で旅しているという。こちらが日本人だと知ると、聞いてもいないのに、ベトナム戦争出兵時の自慢話。オキナワ基地から飛び立って、ベトナムのメコン・デルタでベトコン掃討作戦に参加。指が全部失われた右手をみせ、誇

らしげな笑顔で喋った。

無為の十日間が過ぎ去った。

私はさすがに、このまま居続けたとしたら、永久にここから脱出できなくなるのではないかとの危機感を抱く。その矢先のある出会いが、滞在に終止符を打たせた。

あの日、麓のバス道路から分岐する道の周辺を歩く。村女数人が、湧水を利用した共同洗濯場で、井戸端会議をしていた。その様子を少し離れた場所から眺めていると、一人の老婆が、突然どこからか現れ、洗濯女らの背後に立った。全身黒ずくめの衣装である。白髪まじりの頭にも、黒のスカーフを巻く。

「カネを恵んでくれ。朝から何も食べていないのじゃ」

ロバの手綱を引く手とは別の、皺だらけの細い手を差し出し、哀れっぽい声での物乞い。

村女たちは、そこではじめて老婆に気付き、会話を中断。一様に顔を顰め、手を前後に振って邪険に追い払った。老婆は、それまでの哀れ目を引っ込め、傍らのロバに向かって悪態を吐き始めた。ロバは八つ当たりされている間、悲しげに頭を垂れている。体が飼い主同様に痩せ細って、あばら骨が浮き出ていた。

老婆は舌打ちすると、手綱を強く引っ張った。ロバは、首を前に曲げてつんのめり、獣のように低く鳴く。老婆はそれでも無理矢理手綱を引き、バス道路を渡ると、サボテンの赤い花が路傍に咲くデコボコ道を帰って行く。風に押されでもしているかのような、頼りなげな足取り。

アンダルシアの太陽は、容赦なく照り付け、砂塵が舞い上がる中、二つの影は徐々に小さくなって、正面のコニーデ型の小山の裏側へ消えていった。

そこまで見届けると、「終止符を打つ時が来たな」と私は呟いていた。

ロンダ山中迷走

アンダルシアの道は
ロンダ山中からはじまった

カルメンは、セビーリャのタバコ工場で働く大勢の女工たちの中、ひと際目立つ美貌。黒い瞳は情熱の嵐、厚い唇は魅惑の蜜。強い眼差しで見つめられると、男どもは深淵へと吸い込まれた。実直一筋の門衛、ホセはいつしか、彼女の虜となった。

アンダルシアの気だるい熱気漂う日中、男女は庭園のヤシの木陰で顔を寄せ合った。女の長い黒髪が、男の頬を撫でる。甘いささやきが、男の正気を失わせた。幾晩かの逢瀬を重ね、夢のような時間が過ぎた。

甘美の代償は重く、ホセはカルメンの手引きでロンダ山中へ引きずり込まれ、盗賊一味に強要され、旅人の金品を盗む輩に落ちぶれ果てた。

私は、モハカールで帰国を決意し、一旦日本へ戻った。数年後、アルバイトでためた資金で、ふたたび渡欧した。

日本が先進国への階段を上っていたあの時代、世界へ旅立つ若者が多かった。会社は永久就職の場ではあったが。中途退社した勤め人が少なくなく、彼らは将来の不安皆無と言えないまでも、帰国後の生活を楽観視。そしてまた、将来の展望を持てない多くの学生が、「視野を広めるため」を口実に長期休学した。

当時、日欧間の航空券は高価だったので、専ら格安チケットに頼った。それはほとんどがパリ発着便で、スペインへ向かうには、空港に到着後、列車に乗り換える必要があった。一番便利だったのは、夜行列車プエルタ・デル・ソル号。乗車したまま深夜に国境駅で軌道修正を終え、税関手続きを受けずに仏西国境を越える。そして、朝日の輝きにまどろみから覚め、中央台地メセタの荒涼とした原野を車窓に見て、マドリッドのチャマルティン駅に着いた。

多くの場合、チャマルティン駅から歩いて地下鉄のプラサ・デ・カスティーリャ駅へ。メトロで市中心部のグランビアへ出て、中央電話局裏手にあるオスタルに泊まった。

そこは、口煩いが、日本人好きの老婦人が経営する安宿で、西欧及び世界を放浪中の同胞のたまり場となっていた。必然的に、情報交換が盛んに行われる。居間に置かれた宿泊者ノートは、スペイン及び西欧各国の、安宿と大衆レストランの情報が、大半のページを占めた。

何気なくページをめくっていると、太ペンで大書された、『ロンダ山中の白い村々は、アンダルシアの大地に散りばめられた、陸の真珠である』という一文に目がとまった。書かれた固有名詞に、昔観た映画の記憶、この章冒頭の、数々のシーンが甦った。

一年後、スペインでの本格的な撮影を志して、マドリッドの下宿屋に居を構えると、車でロンダ山中を目指した。

この最初の旅は惨めなものだった。不慣れなロンダ山中、どこをどう走ったのか、道に迷ってしまった。しかも悪天候、突然の驟雨にあい、方向感覚を失った。挙句に、摩耗したタイヤが濡れた路面でスリップして路肩の木株に激突、その拍子にパンク。そこは、コルク樫が鬱蒼と茂る林の中、夕方のわずかな明るささえ消した。タイヤ交換を諦め、車を路肩に止め、一晩過ごした。寝付けぬまま、枝葉が風に吹かれて擦れる音を、遠くに近くに聞いた。

ところで、ロンダ山中といっても、その範囲は明確でない。ここでは便宜上、コスタ・デル・ソルの海岸線とほぼ平行に、内陸部を南北に貫くロンダ山脈と、その西側の山岳地帯、グラサレマ国立公園を含む一帯をそう呼んでいる。

　メインルートは、ロンダ山脈沿いを南北に走る州道で、九十九折のカーブとアップダウンが連続する。コスタ・デル・ソル近くの白い村カサレスから、急勾配の山道をジグザグに上って着く白い村ガウシン、そこを南の起点に、メインルートを北上した。しばらくは木々の緑濃い森林界が続くが、海抜高度が徐々に上がっていき、車窓風景がいつしか一変。茶褐色の岩峰が、次々と現れる。

それらは、アンダルシアの蒼天との距離感が狭まって、あたかも空中に浮かんでいるかのように見えた。

　マドリッドのオスタルに置かれた宿泊者ノートの、『陸の真珠である』という一文が思い出される。

白い集落ベナリダー

白い集落アルガトシン

あれはあながち誇張表現ではなかった。アンダルシアの青空を深海に例えるとしたら、ゴツゴツした岩肌の峰々は、隣り合う稜線が口を開いた二枚貝の殻に見えなくもない。そして、山の奥懐に抱かれた村々は、アンダルシアの陽光を浴びて白くきらめき、真珠の輝きを放った。

ロンダ山中を訪れる回数が増えるにつれ、メインルートをはずれ、渓流の水音に誘われるがまま脇道へとそれて、グラサレマ国立公園内の谷間に分け入った。山中の奥深さを実感するルートである。それにしても、あの最初の旅で迷い込んだコルク樫の林は、この山中のどこかであるはずなのだが、いまだに見つけ出せないでいた。

思い返せば、ロンダ山中への旅は、迷走しているに等しかった。その理由は、この旅があくまでも個人的な興味の域でしかなく、自分自身でさえ何を望んでいるのかが不鮮明で、将来向かうべき道をいまだ掴み切れていなかった。

ここでは、何度目の来訪時だったかの、『ロンダ山中迷走』を以下に記述。

九十九折のカーブを曲がると、黒々とした林が車窓に見えた。松脂採取目的で植林されたマツ林。白煙らしきものが、その林の奥に立ち昇る。車をその場へ急がせたが、そこには、火勢の弱まった焚火のあとが残るのみ。周辺を見回したが、人影も人家も見当たらない。キツネにつままれた思いがする。

心が晴れないままに、その黒い林を後にした。登り坂が続き、いつしか分水嶺の峠を越えた。すると今度は、急な下り坂が続き、岩塊剝き出しの岩山が、車窓に迫ってくる。気付けば、車は日差しが届かない谷間へと吸い込まれていた。渓流が道路のすぐ傍らを流れる。それは微妙に曲線を描き、正面突き当たりには、その頂を見通すことのできない岩山の、断崖絶壁が立ちは

道端の羊飼い

だかった。

視線を下げると、カーブする道路の手前に、何やら黒い影。つなぎの服を着た中年男が、路肩のブロックに腰を下ろし、タバコを口にくわえていた。背後に停車した車の方を見ようともしない。車を降りて挨拶すると、男はそこで初めて顔をこちらへ向け、ぶっきらぼうに頭を下げた。人間嫌いなのか、それとも見知らぬ東洋人に不審を持ったのか、男の背中には拒絶の態度が明らか。

男の足元に視線を遣ると、渓流の狭い河川敷に、ヤギが十数頭草を食んでいた。なぜか、ヒツジが一頭、ヤギの群れの中に紛れ込んでいる。ヒツジは終始オドオドして、図体のでかいボスヤギに身を摺り寄せては、脅され蹴られた。人間社会の縮図を見させられた気がする。男はヒツジに気付いているのだろうが、無視して、あらぬ方向へ視線を遣っている。

「この男はどこから来て、どこへ行くのか」

あのマツ林で白煙を見て以降、集落はおろか人家一軒さえ見ていなかった。多くのヤギを連れて、遠出してきたとは考えづらいのだが。

天候が急変した。高山の山頂に棚引いていた雲が、にわかにモクモクと広がり、アンダルシアの青空を隠した。雨が降りだしそうな程に暗くなる。

渓流の反対側は、ほぼ垂直に切り立った断崖絶壁、岩塊が幾つもせり出して、いまにも崩壊しそうな危うさを孕む。ここから抜け出せなくなるのでは、と不安になった。山中で一晩過ごすことになった最初の旅の、トラウマが思い出される。

気が動転しながら運転していると、人工的な空地が、渓流側の路傍にあった。砂利が敷かれ、車二、三台駐車できそうなスペースである。一息つくつもりで、そこに車を停め、傍らの立看板を読んだ。古代人の描いた岩絵が遺る洞窟との案内。

駐車場脇の石段を下った。河原へ出ると、表面の平たい岩石が幾つか流れの中に置かれている。それらの上を伝って、対岸へと渡る。石灰岩質の岩盤がそそり立ち、洞窟がその足元にあった。入口は鉄製扉で閉じられ、長いこと開けられていないのか、把手に巻かれたチェーンが錆びていた。

扉の隙間から洞窟内を覗くと、そこは漆黒の闇そのもの。昔観た映画のワンシーンを脳裏に浮かべ、「ここは、盗賊の隠れ家だったのでは」と思わず身震いした

車を急ぎ発進させる。どのぐらい走っただろうか、建物が前方に現れた。どうやら鉱山跡らしい。錆びた鉄塔櫓と、窓ガラスの割れた作業小屋とが、敷地内に軒を並べている。いかにも、鉱物の採掘全盛期の賑わいと、その後の衰退を語るかのようだ。それでも、久しぶりに人間生活の痕跡を見て、心に落ち着きを取り戻した。

道路の両側に連なる山並みが、いつしか低くなった。上空を覆っていた厚い雲が消え、青空がふたたび広がる。日が射し込む谷間に、木々の緑が見え、やがて牧場の牧柵と牧舎が現れる。数頭の黒鹿毛馬が草を食んでいる。どうやら今回もまた、『ロンダ山中迷走』から無事脱出できたらしい。安堵感が、胸奥で急速に広がった。

小高い丘の突端に出た。眼下を望むと、周囲を山々に囲まれた高原台地が広がる。丸みを帯びた低い丘が、その台地に幾重にも連なる。牧草地とオリーブ畑が、交互に繰り返している。山里の牧歌的風景が展開。未舗装の農道が、丘陵地のアップダウンをなぞって、泥土色をした一つの線となって延びる。その線をたどると、城郭の町の城壁に行き当たった。白い町ロンダである。

農道を走って、市街地に近付くにつれ、夜がすぐそこまで迫った。外灯が、目にもハッキリと焼き付く。その光明はあたかも、ロンダ山中に点在する村々の住人や、旅人にとっての道標。

いつものことながら、慣れ親しんだ自宅へ帰った心地がする。ロンダは、『小グラナダ』と言える町。本家グラナダ同様、四方を山々に閉ざされた高原盆地の中にあって、しかもイスラム支配時代の遺跡を数多く遺していた。そのため、滅びた異民族の悲哀が町のそこかしこに漂い、私の心情に深く共鳴した。

新橋と二人（ロンダ）

無論、それればかりではない。何よりも、グアダレビン渓谷の夕景に魅了された。個人的に、それはスペイン国内でも一、二に数えられる自然の壮大なスペクタクルだ、と考える。

夕方近くになると、新市街と旧市街を結ぶ架橋プエンテ・ヌエバ（新橋）の傍らの、歩行者に踏み固められた崖の小道を下る。アーモンドの木が植えられ、春には花が咲き、秋には実がなる、急斜面の崖道。

そこを下り切ると、グアダレビン渓谷の、陥没谷に広がる農耕地に降り立つことができた。振り返れば、崖がほぼ垂直にそそり立つ。それは、まさに巨大な断崖絶壁、高さがおよそ百メートルあり、横幅が約二キロにも及ぶ。

夕日が、渓谷を挟んだ真向かいの、マツ林の丘へ沈み始めると、ダイナミックな大自然の変貌が、その断崖絶壁を舞台に行われる。まずは、断崖の幾筋かの割れ目が、光と影の領域を微妙に変え、様々な造形を織り成した。しかし、長くは続かない。日没直前に太陽が赤く燃え上がると、長大な断崖絶壁とその上の新橋と家並みが、刻々と赤みを増していく。そして、これ以上ないほどの朱に染まった瞬間、太陽は丘の彼方へ沈み、断崖絶壁は急速に色彩を失って、漆黒の闇への階段を下っていく。

ロンダに数日間の滞在中、市内の遺跡やグアダレビン渓谷の夕景撮影ばかりでなく、周辺の村々へ足を伸ばした。それほどに、魅力的な村々が数多かった。改めて考えると、その経験が、アンダルシアの道をたどる旅の端緒となった気がする。

ここでは、印象に残った幾つかの白い村について略述しておく。

白い村グラサレマは、ロンダ山脈西側の、グラサレマ国立公園内にあって、その冠名の通りの観光基地。村落は、疎林の生える岩山に四方を囲まれた、狭い盆地の中にあって、黄土色の屋根瓦を持つ白壁の民家が、僅かな平坦地に肩を寄せ合っている。いかにも、山中奥深くの村。

但し、それに魅かれもしたが、それ以上に心に残ったのは、村入口近くにあった巨大な一枚岩の方である。小さな祠が、その岩棚に置かれてあった。道路の安全祈願のためであろうか。日本の道祖神と同じものが、地理的にも文化的にも遠いこの地にあることに、共感を覚えた。

白い村サアラは、急峻な断崖の上にある。バス停から中心広場へ行くには、坂道をジグザグに、息を切らして登らなければならない。ムーア人の古城が、村を見下ろす岩の上にたたずみ、古の歴史の興亡を静かに語った。教会の尖塔が、その古城の真下に、異民族に支配された時代を歴史の彼方へ追いやるかのように、厳然と屹立。

教会前の展望広場は、眺めがとても素晴らしい。眼下に見えるのは、アンダルシアの青空を映して青く静まる湖と、断崖を扇型に埋め尽くした白い家並み。

ここはまた、日の出と日の入りの両方を望める絶好ポイント。太陽は、朝の静寂の中、波一つない湖面の彼方に連なる山並みの背後に昇る。そして、オリーブが夕靄につつまれ、黒いシルエットとなって林立する、

セテニルの洞窟住居

丘の彼方へ沈む。

白い村オルベラは、アンダルシア有数の美しい村落。台形状の丘全体が、夥しい数の白壁の家で覆われる。しかも、その白い丘を囲む農地はすべて、オリーブの木々で埋め尽くされている。アンダルシアの溢れる陽光を浴びて、光り輝くオリーブの緑の波の中、白い村落が浮上して見える。譬えるなら、白い船体の大型客船が、エメラルドグリーンの海に浮かぶかのようだ。

それにも増して、忘れられない光景があった。オリーブの丘で一休みしていると、クワを肩に担ぐ若い農夫がロバの背にまたがって、農道を家路に就くところ。彼らの行く手には、雲一つない青空を背景に、村落の一部が白い衝立のように立ち塞がる。農夫とロバがそれに向かって、段々に小さくなっていく様は、なぜか映画のラストシーンを観ているかに思えた。

白い村トーレ・アラキメは、洞窟住居で知られるセテニルと、オルベラとのほぼ中間に位置。セテニルから向かうと、波打つ丘陵地帯の低い丘を越え、下り坂となって延びる道の先に忽然と現れる。

丸い丘の中腹を白壁民家が埋め尽くす小集落。その手前の窪地には、川が流れ、この周辺では珍しく、オリーブではない作物の農地が広がる。農家が数軒、その低地にポツンポツンと点在。

一本の道が、農地の間を貫く。それは、小集落のある丘へ延び、その後方に連なる丘陵地帯の方角へ消えて行く。徐々に高さを増していく丘陵地の最高所へ視線を遣ると、白い村落が、雪山の尖った稜線のように、アンダルシアの青空を切り裂く。

その崇高な姿は、白い村がその先の、アンダルシアの道にも連綿と繋がっていることを暗示した。

太陽の道

アンダルシアの道は
コスタ・デル・ソルでは
太陽の道であった

現在、アンダルシア沿海部のコスタ・デル・ソル（太陽海岸）は、高速道路が東西を結んで全面開通、車移動が格段に便利になった。しかし、私が頻繁に訪れていた七〇年代から八〇年代、西のジブラルタルと東のアルメリアを結ぶ道路は、国道三四〇号線が唯一であった。その全行程は、およそ三百キロ余り。

当時、この海岸線の中心都市マラガを境に、開発の度合いが東西で異なった。以西は、リゾート開発の先進地域で、高速道路が一部開通、近郊電車が走行した。それに比べ、以東は、シエラネバダ山脈に連なる山裾が、直接地中海へ落ち込み、断崖絶壁の岬となって開発を妨げ、車移動に時間がかかった。

とは言え、この国道は、以西以東の区別なく、太陽海岸の名称そのままに、太陽がいつも車窓を追いかけ、まさに『太陽の道』。そして、大小様々な白い村や町が、この太陽の道沿いに連綿と繋がった。

ネルハは、マラガ以東で、私にとって深き因縁のある白い町。マラガ県の東端、グラナダ県との県境にあって、シエラネバダの支脈テヘダ山地の山裾が、地中海まで延びて急激に海へと落ち込み、断崖と砂浜が交互に繰り返すリゾート。

再渡西した七〇年代後半、本業の目途が立ってはいなかったが、その方向性を見出すために、私はこの国に長期滞在を決意。何度かの出入りがあったものの、足掛け三年余り、首都マドリッドの下町バジェカスの下宿屋を拠点に、スペイン各地を撮影して回った。

あの時代、私に限らず、ユーラシア大陸東端の島国の若者多数が、各々の夢を抱き、西欧各国へ旅立った。北欧でレストランの皿洗いなどをした一群が、初期のパイオニアとするなら、後発の我々は、彼らを踏襲した第二世代といえようか。滞在した国の諸事情は様々だが、第二世代とは言え、一部の裕福な留学生を除けば、自力で滞在費を工面しなければならなかった。

スペインでは、数多の同胞が、首都マドリッドに加え、バルセローナ、セビーリャなどの大都市に暮らした。しかし、彼ら大多数の生活実態は、不安定で、将来の展望が不確かな状態。ともすれば、初志を見失って、滞在するだけが目的になりがちであった。そんな現状を、「石を投げれば、自称画家、写真家、ギタリストに当たる」と仲間内では揶揄された。

ヨーロッパのバルコニー（ネルハ）

そんな時代背景の中、私を含めた同胞の多くが、この町を目指した。
ネルハは当時すでに、コスタ・デル・ソル有数の観光地。ヨーロッパのバルコニーと名付けられた展望台が、弧を描いて地中海側へせり出し、そこから眺めると、水平線が青一色の世界、まさしく地球の丸さを体感できた。そのバルコニーへとつづくプロムナードは、路面の白いタイルが陽光を眩しく跳ね、両側に植樹されたコナツヤシの並木が、海風に長い葉をなびかせ、南国情緒を醸し出していた。

我々はしかし、その絶景に目もくれなかった。展望台横手の、果肉植物が脇に植えられた石段を下って、砂浜へ下りた。端から端までの距離が、二百メートルあるかないかの小さな砂浜。それでも、バカンスシーズンともなると、パラソルやデッキチェアーが隙間なく並ぶ人気のビーチ。

我々の目的は、海水浴のためでも、日光浴のためでもなかった。端的に言ってしまえば、石拾いである。もっとも、ただの石ころではない。それは、長径数センチ程度の、綺麗な楕円形をした小石。太陽にかざすと、透けて見えるぐらいに薄かった。

たぶん、すぐ近くの鍾乳洞が、何らかの地殻変動で崩落、砕けた石灰岩の一部が地中海へ流出、長い年月をかけて波に揉まれて丸くなり、砂浜へ漂着したのであろう。

拾い集めた小石をどうするか。これでも手先の器用な日本人の端くれである、宿泊先のオスタルへ戻ると、さっそくアクセサリーに加工。マリア、クリスティーナ、ホセ、フランシスコなどと、スペイン人の名前を筆で書き、その上にニスを塗って乾燥させ、仕上げに銅線を巻き付け、ネックレスに仕上げた。

所詮、安っぽいまがい物ではあったが、スペイン各地で催される祭礼に付きものの露店や、マドリッドで毎日曜日開かれるのみの市ラストロで売って、日銭を稼いだ。高が知れた売上だったが、滞在するに十分な収入にはなった。

思い返せば、観光ビザでの滞在、スペイン人の寛容な国民性にすがっての、無法な所業といえた。当時、この国は本当にノンビリとしていて、ライセンスなどと小難しいことは言わなかった。土地の警察署に出向き、露店の場所代さえ払えば、路上商売が許された。結果、そんな古き良き時代に、甘えてしまった。今となっては、若気の至りとご容赦願うしかない。

　ともかくも、そんな経緯があったので、この町ネルハは、若き日の甘酸っぱい思い出の町となった。

　マラガ以西地域は、どちらかと言えば、撮影仕事を兼ねての往来が多かった。初めて訪ねた七〇年代、トレモリノス、マルベーリャなど幾つかの町はすでに、高級ホテルが海沿いに立ち並び、ビーチリゾートとしての賑わいがあった。

　とは言え、全部が全部そうとは言いきれなかった。港がまだまだ未整備のままに放置され、太陽の道沿いに軒を連ねる漁家前の砂浜では、漁師が漁網の繕い仕事、数羽のカモメがその上空を飛翔。そんな前時代の漁村風景が、各所に残されていた。

　情勢が大きく動いたのは、八〇年代半ばごろ。マルベーリャ郊外のプエルト・バヌースに、豪華クルーザー停泊可能なマリーナが整備、高層コンドミニアムやショッピングモールが併設された。それを機に、同様の大型プロジェクトが各地で施行され、現在の、高層ホテルやマンション群が海岸線に立ち並ぶ、世界有数のビーチリゾートとなった。

世界有数のリゾートビーチ（アルムニェカール）

私がこの地域で拠点としたのは、白い町フエンヒローラ。そこは、トレモリノスとマルベーリャのほぼ中間に立地しているので、車でどこへ行くにも便が良かった。町自体は、高層ホテル群が海岸通り沿いに立ち並んではいたが、一歩裏手へ回ると漁村であった往時の名残の白壁民家が数多く残され、高級リゾートと呼ぶには、いささか中途半端の印象。だがその分、宿泊代金が安く抑えられ、助かった。

ある時、バスターミナル内の、たまたま入店したバルで、壁に貼られたポスターに目がとまった。それは、全紙サイズの縦位置カラー写真。地中海の青い空と海を背景に、白い教会が白壁の民家群に囲まれた台地に立つ構図。白と青の明快なコントラストに、感動を抑えられなかった。

「絵に描いたようなコスタ・デル・ソルの白い村ではないか」

そこではじめて、ベナルマデーナという村の名を知った。フエンヒローラからマラガ方面へ向かって、トレモリノスのすぐ手前にある村。

さっそく、撮影ポイントを求め、車で村内を走り回る。ちなみに、ポスター写真は内陸部のプエブロ地区。小さな村なので、撮影ポイントを簡単に探し出せると考えたが、見通しが甘かった。展望の良い高台は、マラガの不動産屋がすでに、将来性を見込んで買い占め、高級アパートメントの建築を始めていた。

探しあぐね、建てられて間がない新築の、長期滞在者向け賃貸アパートのチャイムを鳴らした。

「バルコニーをお借りできますか」

薄い頭髪の中年男性は、突然訪れた東洋人に胡散臭そうな目を向けた。しかし、日本人だと知ると、一転態度をやわらげ、マラガ市内で日本製オートバイの販売店を経営していると喋った。この時ばかりは、産業先進国に感謝。おかげで、思い描いた通りの写真を撮影できた。今から思うと、カメラマン稼業のエポックの一枚になった。

その後、この地域へ足を運ぶ度に、同様の撮影ポイントを探し求めた。しかし、リゾート開発は想像以上の急ピッチ、村を取り巻く環境が急変し、撮影が年々困難になる。決定的だったのは、白い教会が立つ台地に、エレベーターが敷設され、何とも無粋になってしまったこと。

かつて漁港があった

いつしか、撮影地を求め車で走り回った日々が、遠い過去のものとなった。
ところが、数年後、この村ベナルマデーナとは再び関係を持つことになる。

もっとも、今度は、プエブロ地区ではなく、沿海部のプラジャ地区の方である。そこは、いつのころからか、かつての小さな漁港が、大型ヨットの停泊できるマリーナへと変貌を遂げていた。

当時、かの国もまたバブルの絶頂期。海外移住の国策に踊らされた年金生活者の多くが、不動産投資に狂奔した時代である。実際、怪しげな不動産ブローカーが暗躍、にわか仕立ての別荘が多数建てられ、高額で販売された。

もっとも、私は、それについてとやかく言えた柄ではない。そのバブルの恩恵に与った一人である。写真一本での、経済的自立の目途が立ち始めた時期に合致。このときも、雑誌掲載のリゾート特集、その撮影依頼を受けての来訪であった。

「近頃、アナタの国のお客が多いわね」

不動産屋の女事務員は、コンドミニアムの一室のレンタルを申し込むと、苦笑いを浮かべた。

マリーナを半円形に囲む複合施設は、下階がレストラン、専門店などのショッピングモール、上階がコンドミニアム。アラブ風のドーム天井が、踊り場を持つ階段ごとに設けられた。

コンドミニアムの一室に、数日間滞在。雑誌の趣旨は、バブル生活のお手本みたいなリゾートライフ。その実例の一端を披歴すると、以下の通り。

地中海に昇る朝日を、レースのカーテン越しに浴びて起床。パジャマ姿のままベランダのデッキチェアーに座って、モーニングコーヒーを一杯。軽装に着替え、マリーナ内を朝の散歩。午前中は、付設のジムでトレーニング。昼は、ショッピングモールの店をのぞいて歩き、オープンテラスでランチ。その後、部屋に戻って、リクライニングシートでシエスタ。夜は、外灯の明かりでオレンジ色に染まるマリーナの夜景を眺めながら、ワイングラスを傾ける。

カサレス白い家並み

カサレスの白い路地

『太陽の道』の番外編として、白い村カサレスを追加したい。マルベーリャの西にある白い町エステポーナから、内陸側へ十数キロの山中にある村落。正確には、太陽の道の、国道三四〇号線沿いの村の範疇には入らない。しかし、私が最も好きなアンダルシアの白い村の一つなので、ここに加える。

カサレスは、深い谷間を望む山腹沿いの道を抜け、車が擦れ違えない程に狭い山道を幾つか越え、九十九折の坂道を上り切った先に突如として出現。海からそう離れていないのに、山村の風情を備えていた。

特異な地形。これは推測だが、古代の火口爆発で山腹が崩落、その一部が耳介の形で残って、その耳たぶにあたる突起部に、村落が造られた。北西側が断崖絶壁で、東から南の斜面が白い家並みに埋め尽くされる。東南側の溶岩壁から俯瞰すると、白い家並みが扇型に広がり、その上にある僅かな広さの台地に、古い時代の教会と城跡の石垣が遺っていて、アンダルシアでも有数の、美しい鷹ノ巣村である。

この村の存在を知ったのは、写真家ブレッソンが撮影した白黒写真による。数人の村人が、白壁の民家の小窓から顔を出しているカット。そのごく日常的な、何げない写真に、エキゾチックな魅力を感じた。

初期の来訪時、中心広場手前の公設市場で、肉屋を営む女主人からカギを受け取るシステムの安宿に泊まった。通常は二、三泊程度の滞在。

小さな村落なので、行くところは限られる。村落の全景写真を撮り終えると、ここでの仕事はほぼ達成。一日の大半は、カジェの散策に費やした。

その時代の、ある一日を日記風に綴ると、下記の通りになる。

夜明け前、どこかの飼い犬の遠吠えを耳にしながら、東側の丘の急坂を登る。名も知らない野の花が咲く丘の、突端に立って、眼下を俯瞰した。村落は、いまだ静寂に包まれ、街灯が幾つかともるのみ。その彼方に広がる原野の地平が、赤紫に染まって、朝の到来を告げる。

やがて、日が背後の山並みの上に昇った。村落の白壁が、陽光を眩しく照り返し、人声が方々の民家から拡散して聞こえてくる。それと共に、諸々の生活の音がこだました。毎朝繰り返される、朝の息吹である。

それを心地よく感じながら村落へ下りると、崖沿いの坂道の途中、オリーブの大木が、野を伝う風に吹かれて、葉がサラサラと音を立てて揺れた。野鳥が、その大木の枝から枝へ飛び、甲高い声で鳴く。

宿へ戻って一休みし、外へ出ると、太陽はすでに真上にある。カジェは、光が痛い程に眩しかった。特に、頂の台地へ通ずる坂道は、両側に連なる民家の白壁がほぼ直線的に延び、反射光が取り分けきつかった。その余りの強さにたまらず視線を上へ向けると、青空が暗いぐらいに濃かった。

荷駄を背にしたロバと手綱を引く老人が、その光溢れる坂道

カサレス村の男たち

を時折上り下りする。その光景はなぜか、現実感に乏しく、絵物語のワンシーンに思えた。

日が背後の原野に沈むと、村落はふたたび生活の音にあふれる。夕涼みの住人が、自宅前のカジェにイスを持ち出して、隣近所同士おしゃべりを始めた。子供があちこちの家から出てくる。男の子が古びたボールでサッカー遊びする傍らで、女の子数人が刺繍や編物などをした。

夜景撮影のため、東南側の丘へ登った。そこは、溶岩でできた土壌、ヤマブキに似た黄色の花が咲き、トゲのある枝木が根を張る。足場の悪いその丘に三脚を立て、撮影準備。やがて、山頂の台地の教会がライトアップされ、民家の白壁が外灯の明かりに照らし出される。群青色の西空を背景にした、外灯ともる村落全景を撮影。

四季折々に、このカサレスを訪ねた。どの季節も楽しめたが、敢えて、どの季節が好きかと問われたら、やはり酷暑を前にした五月と答える。

その季節に頂にある台地に上ると、城跡の石垣の隙間に根を張るオリーブの古木数本が、真下の民家の屋根を覆う程に枝葉を広げ、一斉に花を咲かせた。

オリーブの花は、意外なことに、小粒の花の集合体。バラなどの花に比べ、花弁の持つ華やかさに欠ける。が見方を変えれば、無数の花は、秋の豊饒を予感させるに十分だった。その証拠に、ハチやチョウ等の小さな昆虫が、無数に咲く花から花へ、煩いぐらいの羽音を立てて飛び交った。

この季節にここへ来ると決まって、城跡の礎石の上に横になって、暑くも寒くもない気候の中、オリーブの花の香りを嗅ぎ、虫たちの羽音を聞き、「これぞアンダルシアの初夏」と、母親の胎盤に抱かれたような心地よさに身を委ねた。

オリーブ街道

アンダルシアの道は
すべてがオリーブ街道である

オリーブはモクセイ科の常緑樹で、地中海諸国が主要な栽培地。その中でも、スペインはオリーブ油の生産量世界一を誇るオリーブ大国。スペイン南部のここアンダルシア地方は、オリーブへの依存度が取り分け高く、ほぼ全域で栽培される。それはもちろん、気候風土による影響が大きい。少雨乾燥の地中海性気候は、他の農作物にとっては過酷な自然環境だが、オリーブにとっては競合相手が少なく、それこそが強み。オリーブは別名『太陽の樹』、アンダルシアの灼熱の太陽の下で育つ樹木に相応しい名称ではないか。

アンダルシアへ来た当初、このオリーブのある風景に、ほとんど注意を払わなかった。余りにも当たり前すぎたのだ。日本人にとっての、田んぼを想像してみるがよい。身近にありすぎるので、普段見過ごしがちである。ところが、ひとたび興味を抱くと、稲田が季節ごとの表情を持っているのに気付く。それと同様、オリーブは、生育場所の地域性、海沿いなのか山奥なのか、そして、植えたばかりの若木なのか年輪を重ねた古木なのか、それらの差異によって、様々な表情がある。かくして、アンダルシアの道を車で走って白い村や町を巡る私の旅に、オリーブの風景との出会いが加わった。

ここでは、今でも印象に残るオリーブとの、幾つかの出会いを取り上げる。

幕開けは、オリーブ県と呼べる程、オリーブの木が山野を埋め尽くしている、アンダルシア北部のハエン県。白い町バエサは、その県央部、グアダルキビール渓谷の、河岸段丘の上にある。遊歩道が、その段丘際に延び、大地溝帯と呼べるような渓谷の全貌を一望にすることができる。

正面の遥か彼方の約二十キロ先に横たわるマヒナ山地と、その東側に少し距離を置いて連なるカソルラ山地との間を占める長大なもの。驚くのは、その渓谷全体が、オリーブ農園で埋め尽くされていることだ。

オリーブ道路と呼ばれる州道が、広大な農園地帯を、ほぼ東西一直線に横切る。それは、午後の逆光を浴び、白い輝線となって光った。ト

グアダルキビール渓谷

ラクターが一台、その眩い白線の向こう側で、木々の間を縫って畑の土を掘り起こしている。舞い上がった土埃が、農園上空を渡る風に流されていく。その方向をたどると、糸杉に囲われた矩形のため池がある。水を満々と湛える池は、アンダルシアの空を映して、巨大な生き物の眼のように、鋭く青かった。

不意に、二羽の野鳥が頭上を飛翔していく。カラスを一回り小さくした程度の大きさ、長い尾羽が特徴的。アンダルシアの道を車で走行中、野山で度々見かける灰青色の鳥、オナガであろうか。

野鳥はオリーブ道路を越え、青いため池上空を飛び、オリーブ畑の薄緑色の葉叢の中へと消えていく。それを目で追いながら、寓話を思いつく。

二羽のオナガは兄弟。長いこと空を飛んでいて、疲れ果てた。羽を休めるための手ごろな太さの枝を探し、もうどのぐらい飛び続けていたか知れない。

「オリーブ、オリーブ、オリーブ。これじゃあ、どこまで飛んでもオリーブばかりではないか。枝ぶりのよい木はどこにあるのだ。なあ、アニキ。あの山を越えて、向こう側へ行ってみたいものだなあ」

弟がそうぼやくと、兄はマヒナ山地の方へチラリと視線をやってから、物知り顔で弟を諭した。

「オマエは無知だねえ。あっちも同じさ。この地方はどこもかしこも、雨がちっとも降らない土地柄、乾燥に強いオリーブしか育たないのさ」

「そうだったのか。言われてみれば、雨が一番最近降ったのはいつだったかしら」

弟は慨嘆して、羽をバタつかせる。兄はそんな弟を不憫に思い、こう付け加える。

「望むなら、あの山を越えて、確かめに行ってもいいぜ」

弟が頷くと、二羽は鳴き声を交わし合い、マヒナ山地の方角へ飛び去った。


古都グラナダは、マヒナ山地を越えた南方にある、グラナダ県の県都。異教徒ムーア人の宮殿アルハンブラが、市街地を見下ろす高台の上に聳え、アンダルシア随一の観光地として、国内外の観光客を集める。

彼らの大多数は、ライオンのパティオに射し込む日の光と影や、ヘネラリッフェ庭園の噴水の絶えることのない音に、充分満足して帰る。だから、オリーブ農園が、宮殿背後の丘に広がることを知らない。私自身、宮殿の俯瞰撮影ポイントを探していて、偶然に見付けた。

ここのオリーブは、雪を頂くシエラネバダ山脈の白い稜線を借景にする。木々が丘の斜面に列をなして並ぶ人工的造形と、雄大な自然とが、絶妙なコラボレーションを創り上げる。しかも、それらは、朝昼夕と様々に表情を変えた。

朝の冷涼な空気の中、朝日がシエラネバダ山脈背後に昇ると、稜線に残る雪渓が白く輝き、オリーブの木々が逆光にフォルムを浮き上がらせ、葉を鮮やかにした。

灼熱の太陽煌めく日中、シエラネバダは、白い稜線が眩しく煌めき、アンダルシアの青空との間に明確な曲線を描く。そのダイナミックな自然の変化とは無関係に、オリーブは、赤茶色の砂礫まじりの土壌に濃いシルエットをつくって、立ち尽くした。

日没間近の中、シエラネバダの白い稜線が夕照に赤く燃え、太古の昔から続く自然のドラマを展開。それとは対照的に、日影が丘の斜面を急速に駆け上がって、オリーブは、夕暮れの無彩色へ溶け込み、存在を消していった。

白い村モンテフーリオは、グラナダ県西部、コルドバ、ハエン両県との県境近くにある。この村の名を知ったのは、グラナダ市内の観光案内所で手にしたパンフレット。それに掲載された写真には、教会の鐘楼が片側半分崩れ落ちたハーフドーム型の岩山の上に立ち、白壁の民家群がその真下の斜面を扇型に広がる。まさに奇観と呼ぶに相応しい風景。

グラナダ発の路線バスで到着して初めて、そこがオリーブを単一農作物とする純農村だと知った。村落周辺は、赤茶けた土壌の丘陵地帯で、一見地味が乏しく、農作物栽培には適さないと思われる。しかし、見渡す限りの丘全体が、オリーブに埋め尽くされていた。

その畑の土壌と同じ色の農道が、丘と丘の間を結んで延びる。撮影場所を探して、農道をさ迷い歩くと、純農村ならではの、アンダルシアの原風景との出会いがあった。

人と使役動物ロバとの営みが、行った先々で見られた。ロバの背にまたがる姉妹二人は、畑での手伝いを終えて帰宅への途次。姉妹は、ど

立ち尽くすオリーブの影（グラナダ）

オリーブと白い村モンテフーリオ

こまでも明るい笑顔、私のカメラを指差し、写真を撮ってと無邪気にせがんだ。オリーブ畑の老人は、ロバの手綱を引いて畑の土起こし、カメラを向けると、手を挙げて応えた。

最終的に選んだ撮影場所は、村落と谷間をはさんで向かい合う丘のオリーブ畑。大多数が、幹回り一メートル以上あろうかという古木で、しかも木皮が黒ずみゴツゴツとした膨らみを持っていた。

季節は盛夏。撮影を開始してすぐ、あまりの焦熱に、頭が霍乱状態寸前まで陥る。撮影を中断、オリーブの木陰へ逃げ込み、横になって休んだ。どのぐらいそうしていたろうか、風が突如として谷底から吹き上がってくる。木々の揺れが、下から上へと連鎖。頭上の枝葉が、前後左右に大きく揺れ、葉の裏側が、陽光を眩しく乱反射。

そのキラメキはまさに金属的なもの。例えるなら、ナイフの鋭利な刃先に似る。スペイン人は、時として、豊饒のオリーブを銀色と表現するが、この時ばかりは素直に納得できた。

オリーブは、初夏に無数の小花を咲かせ、真夏の焦熱に耐え、晩秋に実をつける。

私のアンダルシアへの旅は、大半が春から夏にかけてであって、秋が意外と少なかった。記憶をたどっても、数回程度しかない。そんな数少ない体験ではあるが、今でも時折思い出す光景がある。

グラナダ県からコルドバ県へ、白い村アルカラ・ラ・レアルを抜けて間もなくどこをどう迷ったのか、気付けば奥深い山中の名も知らない小村にいた。確か、戸数わずか十数戸の集落で、背後の尖った岩塊の上にムーア人の物見塔が聳え立っていた。

オリーブ畑は、その塔と道路を挟んで向かい合う緩斜面にあった。家族総出の収穫作業の最中。現在は機械化がされているだろうが、あの当時は手作業が主流。カメラを向けると、中学生ぐらいの男の子が、裸足で身軽に木登り、大人に手渡された長い棒で枝打ちした。すると、完熟した黒紫色の実が、地面に敷かれたシートへ、バサバサと音を立てて落ちた。家族は和気あいあいとした笑顔で男の子を囃し立て、収穫の喜びに溢れていた。

久しぶりに訪れた秋、大河グアダルキビール下りの旅の途中に立ち寄った白い町モントロでは、オリーブの枝が実を付けていた。収穫にはまだ早いようだったが、ジックリ観察する機会を持った。意外だったのは、小花から想像して、実がブドウ同様に房となるのかと思い込んでいたが、それは間違いで、長く伸びた枝先に対となって稔っていたことである。

そしてまた、完熟前の実は、白い粉で薄くコーティングされ、緑は緑でも淡い緑であり、指先でこすると油分の艶がでて、幾分暗めの緑となる、と知った。

マラガ県の白い町ロンダ

実を付け始めたオリーブ

から、カディス県のオルベラ方向への、アンダルシアの道は、文字通りの『オリーブ街道』である。

　白い村セテニルは、この街道の中程にあって、洞窟住居があることで有名。グアダルボルシン川の蛇行する渓谷沿いの、薄い岩板が積み重なった地層の崖に、村人は横穴を掘って、外壁を漆喰で塗り固め、瓦葺の少しばかりの庇を付け、夏涼しく冬暖かい洞窟住居を造った。

　村の高台を貫く道路から眺めると、洞窟住居が崖沿いに連なる光景は、勿論奇観と言えるが、それにも増して驚嘆するのは、オリーブ畑がなんとその崖の真上にあることである。どう見ても、崖上は地味が肥えていると思えない急斜面で、しかも剝き出しの岩石がゴロゴロ。植物にとっては最悪の環境の、その土壌に、オリーブはずり落ちそうになりながら根を張っていた。

　究極の職住近接ともいえる。なにしろ、洞窟の住人は、真上のオリーブ畑へ日々農作業に出

洞窟住居の上のオリーブ畑（セテニル）

かけるのだから。今でこそ、そこの住人がすべて農民とは限らない。しかし、古の時代から今日までの長い年月、この伝統的な暮らしが守られてきたことは、紛れもない事実。

　それにしても、オリーブの枝葉が伸びて、真下の住居の庇につきそうなぐらいに垂れ下がっているものさえあった。

「あそこの住人は頓着しないのか」

　さすが大らかな性格の、アンダルシア人と言えなくもないが。


　あれは、目の錯覚だったのか、それとも特異な自然現象だったのか、と今もって、私は判断が付きかねている。ロンダ山中の白い村サアラ・デ・ラ・シエラの、満月が煌々と輝く夜だった。

　その現場は、急峻な崖上の村落とは道路一つ隔てたダム湖の、湖畔にあるオリーブ畑。満月を背景に、オリーブの葉のシルエットを撮影するため、畑の中へ。砂礫散らばる畑は、歩く足音が高く響くのみの、静寂が支配。時折、車のヘッドライトが、湖畔道路のカーブを曲がって近付き、光芒が木々の枝葉をなめて通り過ぎた。

　湖面へ視線を遣ると、月光の青白い反射が長い帯を引いていた。その神秘的な光に心奪われて、オリーブとその反映の撮影に変更。三脚を立て、節足動物のように水辺へ伸びる枝に焦点

を合わせる。

シャッターに指を置いた途端、突風が対岸の山々の方角から吹き下ろし、波紋が湖面を駆け抜けた。湖面の青白い帯がユラユラ揺らめき、すぐ目の前の枝葉が騒めく。焦点をどこに合わせたら良いか、と躊躇った。その瞬時に、光の帯が突然消え、辺りが真っ暗になった。

何事が起きたのか。それを考える間もなく、オリーブの葉が青白く浮かび上がった。慌てて、レリーズボタンに親指をかけるが、それもすでに遅すぎた。月光の青白い帯は、何事もなかったかのように、湖面へ戻っていた。

路線バスで、コスタ・デル・ソル（太陽海岸）の、高速道路と『太陽の道』の国道を乗り継ぎ、西のジブラルタルから東のアルメリアまで走破。不思議なことに、その間のことをどう思い出しても、オリーブ畑を車窓に見た記憶がない。開発が進んで宅地化されたのか、もしくは見落としただけなのか。この章の冒頭で、アンダルシアの道はすべて『オリーブ街道』と断言したが、それも近頃怪しくなりつつある。

私には、このコスタ・デル・ソルで、忘れられないオリーブ畑の光景がある。そこは、グラナダ県の白い町アルムニェカール近く、シエラネバダ山脈に連なる山裾が地中海へ落ち込み急峻な崖となった岬の、急斜面に造られた段々畑。

あの日、車で岬の突端部周回の国道をカーブしたとき、いつもは無人の段々畑に、老夫婦の姿を目にした。段々畑最上部にある平屋の白壁農家、老爺がその下のオリーブ畑でクワをふるって土を起こし、老妻が夫の後を追ってバケツに汲んだ水を撒いていた。農家の傍らでは、井戸の水を掬うための風車の鉄羽根が回っていた。まさにミレーの絵画の世界ではないか。路肩に車を停め、しばらくの間、彼らの姿に見入ってしまったほど。

アンダルシア通いが間遠になって、いつしか老夫婦の姿を見たことさえ忘却のかなたになる。それが数年ぶりに岬を車で回った際、老夫婦の映像が脳裏に浮かび、段々畑を見渡した。しかし、そこはすでに放置されて久しいらしく、オリーブの木は枯れ果て、農家の外壁は崩れ落ちていた。

消え行くものがあれば、新たに生まれるものがある、それが世の習い。アンダルシア東端アルメリア県内陸部の白い村ソルバスで、その現実を思い知った。

オリーブの大プランテーションが、村からそう離れていない、山麓の平坦地に造られていた。その敷地面積が並の広さではない。鉄製フェンスが、州道沿いに長く延び、遥か彼方に見える山裾までの広範囲をカバーした。

ここのオリーブは、幹の細い若木がほとんどで、幾何学的な正確さで間隔をあけ、列をなして植樹されている。しかも、栽培に欠かせない水補給を集中管理、散水管が各々の列に沿って一本ずつ延びる。フェンス越しに見遣ると、作業中のトラクターが数台、オリーブの列間を行き交った。その動く様は、この大農園では余りにも小さく見え、地を這う昆虫フンコロガシのようだった。

これが、アンダルシアのオリーブ栽培の将来像なのであろうか。農業の工業化という言葉が脳裏をかすめる。数年後、あるいは数十年後、小規模な家族経営のオリーブ畑は、このアンダルシアの大地から姿を消している可能性が否定できない。
外国人である門外漢が、それを憂えても仕方のないことだが。

アセブチェの森があった。
そこは、アンダルシア西端ウエルバ県の白い村エル・ロシオ。その村に隣接するドニャーナ国立公園内の湿地池畔に、アセブチェ（野生オリーブ）が群生。栽培されていたものが放置されたものなのか、あるいは自然に成長したものなのか。

アセブチェの老木

いずれにしても、アセブチェは、この地の厳しい風土、夏の気温四十度超えが珍しくもない灼熱の太陽にも、大西洋からの潮風にも、長年耐えてきた。実際、自然の猛威との苦闘を物語るかのように、大半が幹をくねらせ、地面に這いつくばらんばかりである。老木が少なくなく、樹皮を黒く焦がして脆く剝げ落ち、ウロ穴を開けていた。なかには、雷が落ちたためだろうか、幹が真二つに裂けたものさえあった。
一見すると、厳しい自然環境に打ちのめされたかのようで、その姿に哀れささえ覚える。しかし、見方を変えれば、それこそが生命力の証と言えようか。
アセブチェ、つまりオリーブは、将来どんな時代が来ようとも、このアンダルシアの大地でどっこい生き残る、その明確なメッセージに思えてくる。

大河グアダルキビール

グアダルキビール河は
オレンジとオリーブの間を流れる
グラナダの二つの河は
雪から小麦へと下る
ああ、去り行きて
ふたたび戻らなかった愛よ

ロルカ詩集「三つの河の小譚詩」
小海永二訳より抜粋

グアダルキビールは、全長が六五〇キロ余り、アンダルシア中央部を北から南へ貫いて流れる。支流を含めると、州を構成する八県、セビーリヤ、コルドバ、グラナダ、ハエン、アルメリア、カディス、マラガ、そしてウエルバの、すべてと何らかの関係を持っていた。

私は、この大河沿いのアンダルシアの道、主に国道四号線を、アンダルシアを初めて訪れて以来数十年、季節や年度様々に、車やバスを使って全踏破した。ここでは、その道程で出会った白い村や町を、グアダルキビール下りの旅として、源流域から河口まで順次記述する。

撮影地不明のポジ写真が、長年手元にあった。それは、台地の上の教会と白い家並みを背景に、路傍の草を刈る農夫とその草を背に載せたロバのカット。グアダルキビール渓谷のどこかであるのだが。

その疑問が、源流域への旅で明らかになった。村の名はトーレペロヒル。宿泊地のバエサからウベダへ向かい、そこでバスを乗り換え、東へ十キロ程行った先にある。二つの町バエサ、ウベダ同様、河岸段丘の上にある白い村で、教会の鐘楼が騎士の兜の形をしていたことが決め手となった。

バスはその村を後にすると、渓谷を一気に下った。幾重にも連なる緩やかな丘は、オリーブの木で覆い尽くされている。どちらを向いても、アンダルシアの見慣れた風景が展開。敢えて、他地域と異なる点をあげるとすれば、独特の栽培法であろうか。大多数のオリーブが、幹の根元近くで三又に分かれていた。

渓谷の最底辺に達すると、グアダルキビール上流域の流れにぶつかった。後の大河とは言え、まだ源流域近く、川幅が狭く河川敷がなかった。昨夜来の雨のため、水嵩の増した濁流が、堤防代わりに植樹された木々を激しく揺らしている。急流が襲いかかる短い橋を渡ると、今度は一転上り坂ばかりの道となった。

どこまでも続くオリーブ畑を車窓に眺めながら、九十九折の山道を上っていくと、やがて、低い家並みが山腹の緩やかな傾斜地に沿って横へ伸びる、白い村ペアル・デ・ペセリーリョ着。村の入口近く、立ち寄った小さなバスターミナルで、数人の乗客が降車した。いかにも長閑な山村、野鳥のさえずりが開いたドアから聞こえてくる。

カソルラ山地が、バスの車窓前方に現れた。ノコギリ刃のようにギザギザとした峰々が連なる。黒灰色の雨雲が、その岩峰上空にかかる。それは、山頂付近の上昇気流に流され、姿形を微妙に変貌させた。

岩峰を横目に高度がさらに上がると、白い村カソルラが、山々の山懐に抱かれた姿で現出。遠望すると、村落が山腹の急斜面に張り付いて見え、まさしく天空の村の譬えの通りであった。

実際、村内を歩くと、腰を曲げて登らなければならないほどに、急勾配の坂道が多かった。やっとの思いでたどり着いた中心広場は、いかにも山中の村らしく、小さな個人商店が軒を並

源流域（カソルラ山系）

べ、アルピニスト関連の店がある。歴史的建造物が予想外に数多かった。それらの重みのある石造建築は、山国特有の湿った石畳の道と相俟って、どこか高原避暑地の趣を醸し出した。

グアダルキビールの源流点は、一目瞭然である。村落向かいの急峻な崖上に聳える古城、そこから眺めると、ポプラや糸杉などの大樹が、カソルラ山頂の峰々の真下辺りに繁茂。その緑豊かな樹林帯は、周辺に広がる荒涼とした岩塊とは正反対の瑞々しさを携え、一筋のグリーンベルトとなって、村落方向へと延びる。

石段を下って、その樹林帯の中へ入ると、果たして、岩場を伝って落ちるか細い流れがあった。渓流は、村内へ入るまでに幾つかの堰で止められ、木々を映す穏やかな水路となる。水草が透明な清流にそよぎ、つがいのガチョウが悠々と水浴び。水路は、村落とムーア人の古城との間を通り抜けると、やがてグアダルキビールの支流、セレスエロ川となった。

宿泊地の白い町バエサへ戻った。ここは、前章で述べたとおり、グアダルキビール渓谷の河岸段丘にあって、世界文化遺産にも指定された中世建築の宝庫。その歴史的佇まいの撮影と、名物料理で有名なレストラン兼オスタルに泊まることを楽しみに、一時期度々足を運んでいた。ここへ来ると、朝晩の二回、段丘沿いの遊歩道の散歩を日課とした。

その遊歩道から眺めると、グアダルキビール渓谷を埋め尽くすオリーブ農園の上空は概ね雲一つない晴れ、アンダルシアの明瞭な青空が広がった。ところが、約二十キロ彼方のマヒナ山地を遠望すれば、その上空には雨を予感させる大雲がいつも棚引いていた。同じ視界の中で相克する両者は、自然のダイナミックな躍動を感じさせるものであった。

あれはいつのことであったか、今でも時折思い出す光景がある。

夕刻の遊歩道を散策中、マヒナ山地上空を遠くに望むと、厚い雲が例のごとく山頂付近に棚引いていた。いつもと違うのは、その雲に切れ間がのぞき、赤みを帯びた陽光がそこから射し込んだこと。その一筋の光線は、農作業を終え、ロバの手綱を引いて家路につく農夫の真正面へ当たった。すると、二つのシルエットが、赤く染まった路面に長く伸びる。それは、どこか大自然と融合しているかのように見え、人間の営みの永続性を想像させた。

バエサを出て、グアダルキビール下りの旅を本格的に開始。といっても、車が走行する国道は、しばらくの間、川の流れとは距離を置き、丘陵地を西へと向かった。

沿線は、グアダルキビール渓谷同様、オリーブ畑が見渡す限りに広がる。変化の乏しい風景が続く中、今は使われなくなった製油工場の煙突がチラホラ現れ、やがて町らしい町が前方に見えてくる。ハエン県北部の中核都市リナレスである。

そこは、車でマドリッドとグラナダの間を行き来した昔、近付くと決まって、ある強烈臭がした。オリーブ製油工場の煙突から吐き出される臭気が、町中を覆っていたのだ。それは何と表現したらよいか。日本の北陸地方の町で、和紙原料コウゾの湯煎を以前に嗅いだことがあったが、それと類似していた。ともかくも、リナレスは昔も今もオリーブ油の一大生産地。現在、工場の設備が近代化され、煙突を目にすることが少なくなって、あの臭気は幾分和らいでいる。

ところで、この町で忘れてならないのはリナレス闘牛場。そこは、闘牛士マノレーテが自らの血で、砂を真っ赤に染めた悲劇の舞台。第二次世界大戦前後に活躍の、現在でも語り継がれる伝説の闘牛士ではあるが、町中を歩くと、雨だれに黒ずんだ民家の白壁を目にするだけで、彼の魂が身近に感じられた。

リナレスを過ぎて直ぐ、アンダルシアと首都を結ぶ国道四号線の、交通の要衝バイレンに着く。ここまでたどってきた国道は、アンダルシアの幹線道路である国道四号線と合流。ここ以降、この幹線道路がアンダルシアの道を引き継いで、やがてグアダルキビールの流れと出合い、互いに右岸左岸を交代しながら、共に大西洋を目指していくことになる。

白い町アンドゥハールは、グアダルキビール右岸にある農産物集散地。周辺は、灌漑用水路が整備され、オリーブ以外の

アンドゥハールの石橋

作物も多種類栽培される。市街地と川を挟んで向かい合う広大な綿花畑、その中を貫く農道を歩いたとき、ハエン県内のオリーブばかりを見てきた目には、背丈の低い枝に付いた純白のワタが新鮮に映った。

現在、首都と州都セビーリャを結ぶ高速道路の中間地、物流の拠点として発展、倉庫群が建ち並んでいる。それでも、頻繁に往来した時代に国道であった石橋は、今も健在で、市街地の端をかすめて流れるグアダルキビールの湾曲部に架かる。交通量はめっきりと減っていたが、大き目のレンガ石をアーチ型に組んだ橋脚は、以前のままで、茶褐色の水面に影を落としていた。

この町の春の例大祭、カベサの巡礼祭で訪ねた時以来であろうか、久しぶりに市内に宿泊。夕闇迫る頃、中心部の歩行者天国を歩くと、多くの住民で賑わっていた。昔のアンダルシアのどの村や町でも当たり前であった光景、子らの甲高い声が人々の会話の騒めきにまじってこだまし、その反響音が夜遅くまで町の空気を和ませていた。観光客が多数訪れる有名観光地では味わえない、タイムスリップした時間の流れが、そこにはあった。

グアダルキビールは、アンドゥハール北部山岳地帯を源とする数多の支流を集めて大河へと成長、ハエン県からコルドバ県へと県境を越える。

白い町モントロは、その県境近く、大河が深く削った渓谷を望む高台にある。前回来たのはずいぶん昔。その時の印象では、大河が古色蒼然とした家並みのすぐ間近をかすめるようにして流れていた。しかし、それは記憶違いだったと分かる。大河に架かる石橋ラス・ドナダスの橋上に立って、真下をのぞき込むと、水面が高い橋脚のかなり下方にあって、川の流れと家並みの端との間には、距離が少なからずあった。

なぜ、錯覚してしまったか。

家並みは、河岸段丘の傾斜に沿って長く延び、その端がラス・ドナダス橋近くで河岸道路に接する。そして、その道路は、橋を渡る手前で、崖のすぐ間際を通る。見上げると、数軒の家屋が、その崖からはみ出して建てられ、いわば宙づりの状態である。その危なっかしさが、自然と圧迫感を与え、距離感を狂わせたに違いない。

モントロ渓谷を抜けると、古来大河は蛇行して流れ、古来より氾濫を繰り返した証拠の、広大な流域平野をつくった。国道四号線は、その平野部を貫く。車窓に見えるのは、豊饒な農耕作地帯で、細分化された畑と、距離を狭めて点在する農家群。大都市コルドバが近くなったためか、近郊野菜の栽培地が増えた印象。

白い村エル・カピオは、国道四号線沿いの岩山の上にある。その村落を上り詰めると、グアダルキビール左岸に広がる農耕地を眼下に一望

メスキータと大河（コルドバ）

でき、新たな発見があった。

それは、赤子の背丈ほどしかない、幼木オリーブの育成地。当然、実採取目的ではなく、出荷用に生育されている。オリーブのふるさとが、まさかグアダルキビール河畔の、ここコルドバ近郊にあるとは思ってもみなかった。


歴史的建造物群が、幾多の時代の変遷を今に伝える古都コルドバ。大河は、その旧市街地区を滔々と流れる。メスキータ（スペイン語でモスク）が、河畔に屹立。その荘厳なモスクとキリスト教会が同居する建造物は、イスラム文化華やかな時代を象徴する、アラベスク模様の美しいミフラーブを秘かに内包。大河に架かるローマ時代創建の石橋から眺めると、時代の変遷を目の当たりにするかのようである。川面に映えるメスキータの影の揺らめきが、滅びた異民族の悲哀を語った。

そればかりでなく、この町ではなぜか、重くて暗鬱な空気を強く意識。たぶん、この国へ来て間もない頃の体験が深く影響。あの時、グアダルキビールの土手に三脚を立て、メスキータとその背後の真っ赤な夕映え、そして手前の外灯ともるローマ橋をいれた構図で撮影していた。老婦人が買物かごを手に土手を通りかかった。その際、私のウエストポーチを指差し、「泥棒に気を付けなさい」と忠告。その善意の一言が、この町の印象を決定づけた。

メスキータの裏手は、ユダヤ人街と呼ばれ、狭いカジェが縦横に入り組む地区。土産物屋が軒を並べ、観光客で賑わう一画を離れると、カジェは途端に人通りが減って、しかも陽光が射し込む時間が限られ昼でも薄暗い。シエスタの時刻になると猶更で、人の往来が途絶え、物音一つ聞こえなくなった。

実際、あのころのコルドバは治安が悪かった。人気のないカジェで襲われ、金品被害にあった話を方々で耳にした。私自身、町中で怪しげな男に後をつけられ、ショーウインドー前で立ち止まって背後を窺い、遣り過ごした経験が、一度や、二度ではなかった。

もっとも、逆説に聞こえるかもしれないが、その緊張感こそがこの町の魅力と言えなくもない。だからこそ、頻繁に来訪を繰り返したのだ。コルドバの今日のために補足しておく、この国が経済的に豊かになるにつれ、強盗犯罪が減ったことを。まあそれでも、最初に染み付いた固定観念は、なかなか覆らないものである。

大河はコルドバ市街地を抜けると、ここまで左岸右岸を交代しながら共に下ってきた国道四号線とは、進路をたがえる。両者が次に出合うのは、アンダルシアの州都セビーリャ。一旦、国道四号線と別れ、大河沿いの地方道を西へと向かう。

周辺は、コルドバ市街地の東から続く流域平野の延長線上にあって、肥沃な大地が更にこの先、コルドバ、セビーリャ間に連なるモレナ山脈の南麓一帯まで連なる。その範囲は、地平線に見える、遥か彼方の丘まで延々と広がった。

白い村アルモドバル・デル・リオは、コルドバ南西約三十キロ、大河の右岸にある農村集落。背後の小高い岩山に登ると、中世古城が山頂に聳える。その古城前の岩場は、眺めが絶景であった。城のある北側を除く三方向は、前面が開かれている。

眼下は、白い家並みがアンダルシアの陽光を浴びて眩しく輝く村落。その傍らを、大河グアダルキビールが滔々と流れ、季節ごとに異なる表情をみせた、乾季には、水量が極端に減って川底の泥土を露出、雨季には、黄濁した流れが土手を削った。

近年、超特急列車アヴェの走るレールが、大河と村落の間に敷かれた。白い連結車両は、紫外線のモヤにかすむコルドバ市中心部の方角から現れると、アンダルシアの太陽に白く輝く村落脇を一瞬に通過し、大河の流れと同じセビーリャ方向へ走り去った。

　大河の向こう側は、広大な農耕地帯。真っ直ぐ延びる農道が縦横に交差して、耕作地を直線的に区分した。栽培される農作物は、オリーブはもちろんのこと、穀物、柑橘類、綿花等々、多種類にわたる。当然、作物が異なれば、農地の色合いは微妙に異なる。直線的に区切られた区画は、豊富な色の組み合わせとなり、壮大なパッチワーク模様を描いた。

　特に、ヒマワリが満開となる夏、大輪の鮮やかな黄色と、オリーブや柑橘類の葉の緑色、そして休耕土壌の赤茶色が、見事な色彩のハーモニーを奏でた。

　春まだ浅い季節は、色彩の華やかさに欠けるが、耕作前の無機質な大地が、それはそれで味わい深かった。時として、分厚い雲が大地を覆い、緩慢な動きで地表付近を流れ、陽光がその雲の切れ間にのぞくと、雲の大きな影が地上を這い、地球の自転のごとくの、大自然のダイナミズムを体感できた。

　アルモドバル・デル・リオからセビーリャまでの間を蛇行して流れる大河グアダルキビール。その河岸沿いの州道を、私は車で何度か走行したはずなのだが……。なぜか、その間の村々についての記憶が欠落していた。

　近年、超特急列車アヴェの車窓から見た範囲では、村々が河岸平野の広大な農耕地の中へ埋もれ、私の好む鷹ノ巣村落ではなく、扁平な印象を持った。たぶん、そのことが興味を失わせたと推測される。

　ともかくも、ここでは、大河下りの旅を一時中断、コルドバへ戻って、国道四号線を南下することに。

　白い町エシハは、コルドバ県からセビーリャ県へ県境を越えて直ぐ、国道四号線が大河グアダルキビールの支流ヘニール川と出合う地点にある。地方都市ではあるが、別名塔の町と呼ばれる程、教会や修道院の鐘楼が多数林立して、歴史的古都の趣。

スペイン北西部のガリシア地方を旅行中、日本人の老夫婦にどんな町かと訊ねられ、なべ底のような町と答えた。久しぶりに訪れて、その比喩が間違っていなかったと再確認。なにしろ、東側は、ヘニール川の河岸段丘が壁となって塞ぎ、残る三方向は、小高い丘が数珠つなぎとなって連なる。民家群と夥しい数の塔は、まさに四方を塞がれた窪地の中に押し込められていた。

ヘニールは、大河グアダルキビールの支流ではあるが、それ自身がとても大きな河川。水源は、遠く離れたグラナダ県の、シエラネバダ山脈の雪解け水である。グラナダ出身の国民的詩人ガルシア・ロルカは、この川を、グラナダ市内を流れるダロとともに、ふるさとの川と詠んだ。

河岸の遊歩道を散策。雨後のため、流れが速く、係留されたボートが木の葉のように揺れている。市立公園は、そのボート置き場に隣接、木々の緑が濃かった。緑陰がつくる爽やかな空気は、大学の町特有の文化の香りを感じさせる。実際、学生の姿が数多く見られた。彼らは、プラタナス並木のベンチで読書し、リング付きバックボードの置かれたコートでバスケット遊びに興じていた。

これは、外国人留学生の数と関係あるかどうか、エスニック料理の店が町中に多い印象を持った。一例をあげると、大通り中央のプロムナードにテーブルを並べるレストランで食事をした時、メニューに日本風と書かれた料理を頼むと、オリーブ油で揚げたソバが出された。

国道四号線を更に西へ。幾つかの丘を越え、大河グアダルキビール支流の、幾つかの川を横切ると、いつしか大平原の真っただ中へと導かれた。アンダルシアの青空が、その大平原へ重しのごとく覆い被さる。彼方を見遣ると、巨大な岩山が、大地の突起物のように出現。それは、手前側が切り立った断崖で、奥が城壁にグルリと囲まれている。白い町カルモナである。

急坂を上って城門をくぐると、車の通れる石畳の坂道が城壁に沿って上方へ延び、先端部でつながって楕円形を描く。古城跡の崩れた石垣が、その先端に遺る。一部が改装されて、パラドール（国営宿舎）に使用されている。そこは断崖絶壁の上にあるので、東の空に昇る朝日を室内から眺めることができ、国内外の旅行客に人気の最高級ホテル。

私はかつて、セビーリャの春祭り開催期間中、当地の宿の混雑を嫌って、この町に宿を取った。勿論、パラドールではない。そこでは、館内のバルでコーヒーを飲む程度。城門と接する城壁を活用して造られた安宿に泊まった。

ある朝、その宿の老オーナーが、朝食を運んできた際、「夏になると、日本人でいっぱいになるよ」と大真面目に語った。最初、その意味が飲み込めなかった。しかし、後に別の旅先で、テレビニュースを見て、なるほどと理解した。

五月末から六月初め、カルモナ周辺の大地は、ヒマワリが一斉に開花。まさに黄色のジュウタン状態。大型観光バスが、それを待っていたかのように、ヒマワリ畑の脇へ次々と横付けされる。乗降ドアが開くと、日本人ツアー客が吐き出される。彼らは、我先にと畑へ駆け寄って、大輪に顔を近付け、カメラでパチパチと記念撮影。

大方のアンダルシア人は、この光景が物珍しいらしく、どうやら季節のニュースに欠かせない風物詩となっていた。

国道四号線は、カルモナの西約三十キロで、アンダルシア最大都市の州都セビーリャ着。そして、コルドバで方向をたがえた大河グアダルキビールとふたたび出合った。正確には、市街地の外縁を大きく迂回する本流とでなく、それから引かれた運河との再会。

運河は、カテドラルやアルカサル等々、世界文化遺産建造物が数多い歴史地区を流れる。正十二角形の黄金の塔が、運河の水面に映え、マゼランが新航路開拓の船出をした、往時の港の賑わいを偲ばせる。運河の架橋から下を覗き込むと、学生たちのボート艇が、アンダルシアの空を映した青い水面に波紋を広げる。彼ら若い漕ぎ手たちは、古の歴史を知ってか知らずか、誘導員の掛け声に合わせてオールを漕いでいく。

思えば、アンダルシアへはじめて来て以来数十年の間に、両手の指でも数え切れない回数、この町を訪れた。当然、思い出はその回数に匹敵するぐらいある。取り分け忘れ難いのは、やはり、若い頃の白昼夢にも似た体験であったろうか。

春祭り開催時だった。大聖堂の東側、ヒラルダの塔の下に広がる住宅地区の、サンタ・クルス街に宿泊して、運河に架かる橋を渡って、春祭り会場へ向かうのを日課とした。あの日もまたいつものごとく、宿泊先のオスタルを出て、アンダルシアの陽光溢れるカジェを歩いた。

セビーリャの運河

アルカサル裏手の、青タイルの聖画が外壁に飾られ、白大理石の噴水が水音を立てる広場へさしかかったとき、フラメンコ衣装の水玉模様の裾が、広場からカジェへの曲がり角でひるがえる。白壁の路地と艶やかな民族衣装の女性との取り合わせ、これはシャッターチャンス。カメラをバッグから取り出し、彼女の後を追った。ところが、その角を曲がったところで、姿を見失った。彼女の歩く足が、それほど速いとは思えないのだが。

未練をかかえながら、ヤシが並木をつくり、ブーゲンビリアが咲く公園内の小径を抜けて、大通りへ出た。祭り会場へ向かう馬車が、蹄の音を響かせる。その馬車が目の前を通り過ぎるのを待って、大通りの向かい側に視線を遣ると、先程見失った水玉模様の衣装が、いままさに方形の建物の中へ入ろうとしている。

私は大通りを渡って駆けつけたが、一足違いで、女性は門扉の通用口から屋内へ消えた。ファサードを見上げると、神話の彫刻が施された石板の文字レリーフが、セビーリャ大学と読み取れる。

「ここは、カルメンが働いていたとされるタバコ工場跡ではないか」

一歩後ろへ退いて確かめ直した。在り得るはずのない妄想が、頭の中を駆け巡る。

本流と運河が再合流した大河は、セビーリャ市街地を抜けると、真南の方向へ下る国道四号線とは距離を置き、共に大西洋岸へと向かっていく。

白い町コリア・デル・リオは、セビーリャの南西約十五キロ、大河の右岸にある。今でこそ大都市の通勤圏として人口が増加しているけれども、私が若き日にエル・ロシオ巡礼に参加したころ、巡礼路にあたるひなびた村にすぎなかった。

その当時の思い出が二つある。一つは、巡礼者が歩くそばから、砂埃が舞い上がって、目が開けていられない程に閉口したこと。もう一つは、やはり、村人の信仰心の篤さに驚かされたこと。シンペカドス（御輿車）の直後を歩いていたのだが、村中の老若男女が駆け付けたのではと思うぐらい、大勢の村民が御輿車の台座に安置されたマリア像に礼拝した。

ところで、この町は最近ある話題で有名になった。それは、支倉常長らの遣欧使節団が立ち寄った歴史に関係。真実かどうかはいまだに解明されていないが、日本の国名を意味するハポン姓の村人が数多く住み、もしかしたら彼らの子孫ではないかとの憶測報道が、新聞、テレビでかなりの頻度取り上げられた。

かくして、大河グアダルキビール下りの旅は最終盤を迎える。

ハエン県のカソルラ山中に源を発し、アンドゥハール北部山地、モレナ山地などの山々から数多の支流を集めた大河は、上流域の大量の土砂を下流へと運び込み、ヨーロッパ最大の湿地帯を造った。

そこは現在、世界自然遺産に登録されたドニャーナ国立公園。ヨーロッパ有数の野生動物保護区として知られる。珍獣イベリアオオヤマネコが棲息し、フラミンゴがアフリカ大陸から多数飛来する。

観光客の立ち入りは制限され、入園するには許可された団体ツアーに参加する必要があった。私はかつて一度だけ、そのツアーに参加した。

朝日が高く昇って、晴天の空が青さを増す時刻、中型観光船は、サンルーカル・デ・バラメダの桟橋を出発、大河の流れに逆らって遡っていく。塩田の、台形状に積み上げられた塩の山を横目に見ながら対岸へ着くと、小型ボートに乗り換え、ドニャーナの湿地帯に張り巡らされた水路へ入った。

水路の両側は、見渡す限りのアシ原で、平坦な湿原の風景がどこまでも広がる。アンダルシアの太陽が、青一色の空に眩しく輝いているだけに、アシ原の枯れ草色が、寂寥感を一層際立たせた。期待した野生動物との遭遇はなかった。時折、名も知らない小鳥がアシ原上空を飛び交うのみで、拍子抜けした。

ボートを水路の途中で下りて、砂地の林の中を散策した。方形の土壁にかやぶき屋根の竪穴式住居が数棟、ドニャーナを象徴するマツ林の下に残されていた。狩猟や木の実採取を生業とした、今からそう遠くない時代の人の小屋だという。国立公園になって、住まいを立ち退いた住民の、以前の質素な生活ぶりがうかがえた。


大河は遂に大西洋岸へ到達。

白い町サンルーカル・デ・バラメダは、大河の広大な河口の左岸にあって、いくつもの顔を持つ。言うまでもなく、対岸がドニャーナ国立公園で、その東側玄関口にあたる。蒸留酒マンサニージャの名産地として知られ、醸造蔵が丘に立ち並ぶ銘酒の里でもある。更に、大河左岸の砂地はリバーサイドビーチとして整備され、国内外のバカンス客がパラソルを広げシートを敷いて、日光浴する。

私はこの町へ来ると決まって、バカンス客がパラソルとシートをたたんで引き上げる時刻を見計らい、そのリバーサイドビーチ沿いに延びる、タイル張りのプロムナードへ向かった。そして、ベンチに腰掛け、夕景のドラマを心ゆくまで堪能。

対岸のドニャーナは、ほぼ真西の方角、しかも高さがあるのはマツの疎林ぐらいで、地平線と呼べるほどの平坦地形。そのため、太陽は沈む寸前まで、輝きを失わなかった。その日没間際、太陽光が四方八方へ拡散、宗教的なまでに神々しかった。

無論、毎日が快晴ではない。薄雲が地平にかかるときがある。それはそれで別の興趣。光の輝きを失った真っ赤な球体が、地平線に沈むにつれ、ストップモーションのごとく欠けていく。日没後、幾筋かの光線が放たれ、空の忘れ物のように漂う千切れ雲を赤く染め上げた。しかし、その茜雲の寿命は短く、色合いが急速に失われる。すると、西の空は、最後の舞台、黄昏が展開、そして闇夜の前の、ブルーモーメントを迎える。

河口の夕日（サンルーカル）

大自然のドラマが終わると、人工的なエンジン音が、川面を伝って聞こえてくる。

大きな鉄製クマデとクレーンを甲板に装備する、貝採取の中型漁船が、一艘二艘と連なって、内陸側にあるグアダルキビール上流部の港へ帰っていくところ。その規則的な音が、遠い記憶を呼び起こした。

私は少年期、東京下町の北千住という地で育った。そこには二つの川、荒川と隅田川が流れていた。両者の思い出は正反対。荒川は、河川敷の水路で魚とり、まさに童謡『ふるさと』の世界。それに対し、隅田川は水質汚染で悪臭を放ち、敬遠して近付かなかった。今この時になって、忘れていた隅田川の光景が甦る。石炭運搬船が、すぐ上流の火力発電所の四本煙突（通称おばけ煙突）と東京湾を結んで、蒸気音をポンポンと響かせながら往来していた光景。

私は唐突に、「やはり、この大河は、アンダルース（アンダルシア人）のふるさとの川なのだ」と呟いていた。

カジェ物語

アンダルシアの道で出会う
白い村や町では
野外劇が催されている

アンダルシアの道を車で走って、白い村や町に着くと、中心広場を目指した。

そこは、住民生活に欠かせない場所。市場、役所、そして教会などの主要な建物が、至近距離に集まる。大きな町は、探すのに多少厄介だが、大聖堂の塔を目当てに向かえば、そこがまさしく中心広場、市役所や中央市場はその周辺に必ずある。

中心広場に立って、行き交う人々を眺めていると、「ここは、野外劇の舞台ではないか」との比喩が、脳裏に浮かぶ。

なぜなら、住民生活のほぼすべてが、中心広場とその周辺の狭い範囲で完結。人は、市場へ買い出しに出かけ、教会でミサを捧げ、役場で出生・婚姻・死亡など諸々の届出をした。言うなれば、人生の多くの時間がそこで費やされる。その事実は、野外劇の舞台と呼ぶに相応しい。

中心広場が野外劇の舞台ならば、そこを行き交う住民は、諸々の役を演じる役者ではあるまいか。そして、そこへと通じるカジェ（路地）は、あるいは縦横に交差するカジェは、出番を待つ舞台の袖に当たるのではなかろうか。

もし比喩が正しいと考えると、今度は役者の演技に命を吹き込む演出家が必要なのは言うまでもない。それは誰なのか、あるいは何なのか。ここアンダルシアでは自明の理、圧倒的存在の太陽をおいて他にない。役者である住民の光と影全般を、握っているといっても過言ではないのだから。

思えば、ここアンダルシアでは、私は夥しい数の白い村や町を訪ね、夥しい数のカジェを歩き、夥しい人々と出会った。無論、大多数は一期一会でしかなかった。それでも、幾つかのカジェや、幾人かとの出会いは、心に深く刻まれた。

ここでは、それらの数例を紹介。但し、事実に基づいてはいるが、脚色をまじえてカジェ物語として書き上げたものである。

サンセバスチャン通りは、コスタ・デル・ソル（太陽海岸）観光の定番コースに必ず組み込まれているので、世界一有名なアンダルシアのカジェといえた。幅が約三メートル、奥行が一五〇メートルあるかないかで、やや上り勾配の突き当たりは民家の白壁。アンダルシアにあっては、殊更珍しくもないカジェだが。敢えて特異な点を挙げれば、ほぼ南北方

向に開かれているので、太陽が東から西へ移動するにつれて刻々と表情を変化させることか。

実際、両側に軒を連ねる民家の白壁は、午前と午後で正反対の様相、光と影の領域を交替した。陽光が一日で最も満ち溢れるのは、やはり太陽が真南に昇る時刻。白壁に掛けられた鉢植えのゼラニウムが真っ赤に燃え、パステルカラーの家扉や窓枠が立体的絵画のように浮かび上がった。

私は、コスタ・デル・ソルへ来る機会があると、必ずこの村を訪れた。主目的は勿論、美しいカジェの撮影にあった。

しかしながら、別のある感慨が胸奥を占めていたのも事実。それは、最初のスペイン滞在を切り上げて帰国、本業の目途がいまだ立たなくて、アルバイトに精を出していた時期に、図書館でたまたま目にしたスペイン関連の新聞記事。見出しは忘れたが、概略は以下の通り。

七五年、長い間独裁政治を執っていたフランコ総統死去。その後、スペインは民主国家へと舵を切った。それを機に、スペイン内戦で敗れた共和派の人々が、数十年に及ぶ潜伏生活を経て、隠れ潜んでいた穴から続々と姿を現した。

それに付随して、幾つかの潜伏地名が追記。スペイン各地に散らばっていたが、ここアンダルシア地方では、コスタ・デル・ソル（太陽海岸）のこの小さな村の名があった。

久しぶりにサンセバスチャン通りを訪れ、撮影を一通り終え、帰り支度を始めた。そのとき、綺麗な白毛の飼いネコが、四ツ辻近くで輪になって会話中の高齢男性たちの足元を、甘えたように行ったり来たりする。バッグに入れたカメラを持ち直し、そのネコへ近付くと、突然怒声が頭上から降りかかった。驚いて彼らの方へ顔を向けると、白髪頭の老人、ひと際高齢に見える老人が、真向かいの男性に、興奮して何事かまくし立てている。

老人の顔には、刃物で切り付けられたような傷跡が、頬から顎にかけてあった。年のころは八十代後半。おそらく、スペイン内戦時代には二十代前後の青年期であったろうか。だとしたら、内戦中に受けた傷だとも考えられるが。

ランチのために、麓の町との間を結ぶ連絡バスが発着する広場に面したレストランのテラス席に座った。料理が運ばれてくるのを待つ間、先程の老人の、尋常ではない興奮振りが、瞼に浮かぶ。まあ、老人連中の、他愛のない意見の衝突とも考えられるが。その残像を振り払おうとすると、またしてもあの新聞記事が頭の中で反芻され、そして空想に浸った。

深夜のカジェ、二つの人影が、無言のまま見つめ合い、抱擁をした。男は、村の背後に聳える岩山の急な崖道を上った先にある横穴に隠れ住み、夜を待って山を下りてきた。女は、この男の妻か愛人、男の好物のチーズと干しハムをはさんだパンを持参して家を出た。月に数度の、束の間の逢瀬である。

階上の住人は、外のかすかな物音に気付き、観音扉をユックリ静かに開け、階下のカジェを覗き見る。そこには、付かず離れず辺りに気を配る二人の姿。この暗さで、顔の表情まではわからないが、誰であるかは承知。

ネコの鳴き声がする。背の高い影が低い影を抱き寄せ、民家の壁伝いに用心深く移動する。カジェの角にある白い教会前まで行くと、影は三叉路で二手に分かれた。

階上の目の主は、そこまで見届けると、大アクビして、警察に密告される心配など不要と呟き、ベッドへ潜り込んだ。

はしゃぐ声が聞こえ、我に返った。その方を見ると、村名物のロバタクシーが通り過ぎていくところ。赤と青の刺繍模様が入った布を額から鼻先につけたロバ。その背に跨るのは、北欧辺りから来たらしい金髪の若い男女。二人は、屈託のない笑顔で写真を撮り合っている。

「彼らは、この村に、あのカジェに、悲しい歴史があったことなど知る由がない」

私はそう呟くと、雲一つない真っ青なアンダルシアの空を見上げた。


最初の印象は最悪だった。

その白い町はあの日、アンダルシアには珍しく、雨模様の天候。レンタカーで町中へ入ると、カジェは薄暗く、道幅が車一台やっと通れるぐらいの狭さだった。カテドラル横の曲がり角では、危うく車のボディをこするかと肝を冷やした。それがあってか、町全体が消沈しているかのように思えてならなかった。

あの後、まさかこれほどの回数訪れることになるとは。来訪を重ねるにつれ、最初の悪い印象はどこかへ消し飛び、この町のカジェが持つ多様性に魅了されていく。

カーブする家並みにリンクして、美しい曲線を描くカジェがある。家並みをパースペクティブに見る、直線的なカジェがある。勿論、それらのような、車が通れるカジェばかりではない。窓から手を伸ばせば向かいの家の壁に届いてしまう程に狭いカジェや、陽光が一日中射し込むことなく、暗渠のようなカジェもあった。


何度目かの来訪時、崖上の町と周辺に広がる農地との、ロングショット撮影を目的に、長期滞在した。宿泊先は、カテドラル近くのオスタル。毎朝、宿を出ると、真っ直ぐ延びる坂道を下り、麓のグアダレーテ川に架かる鉄橋を渡って、農地へ向かった。

あの朝は、経路を変えた。坂道を下るのを止め、北側に連なる家と家の間の、狭いカジェを殊更選んで歩く。どこをどう曲がったか、アーチ型の石造支柱が、向かい合う家同士の間に架けられたカジェに出た。そこをくぐると、やや上り勾配の石畳道。陽光が民家の屋根越しに射し込み、水蒸気のモヤが薄く立ち昇った。
人影が、白濁した光芒に浮かび上がる。十代半ばぐらいの少年。両膝を巧みに使って、サッカーボールをリフティングしている。素人目にも、動作が機敏で、華麗な妙技に思えた。私はしばらく見惚れ、「上手だね」と声をかけると、少年は誇らしげな笑みを返した。

翌朝、そして翌々朝と出会いを重ね、私と少年は打ち解け、簡単な会話を交わすまでになった。あれはどういう経緯であったか、話題が家庭の事情にまで及んだ。同居する家族は、少年を含めて四人。父親は病気がちで入退院を繰り返し、母親は公設市場での臨時の雑用請負、そして妹はまだ小学校の低学年。家計の遣り繰りは、カタルーニャへ出稼ぎ中の、兄の仕送りが頼りらしかった。

「将来はサッカー選手になるの」

「いいや。学校を卒業したら、兄さんがいるバルセローナへ働きに出るよ」

少年は即座にそう答えたが、無理に快活を装っているのが分かった。明らかに豊かではな

い生活事情、無神経な問い掛けをしてしまった、と後悔した。

　数年後、ドニャーナ国立公園への旅の途中、遠回りして町へ立ち寄った。案の定、少年の家は空き家。隣家の家主に訊くと、少年の中学卒業を待って、一家は兄が働くカタルーニャ地方へ転居。予想していたこととは言え、「もうあの少年と会うことはあるまい」と少々落胆した。


　ところが、これには続きがあった。更に数年経った頃、本業の仕事が軌道に乗り始め、観光ビザ有効期間の三ヶ月を使い、首都マドリッドのオスタルを活動拠点に、スペイン全土の取材旅行を敢行した。

　旅先からマドリッドへ戻った。次の出立までに時間的な余裕があったので、リーガ・エスパニョールの試合を観戦。有名な地元チームのスタジアム、入場ゲートで手渡されたメンバー表を見ていたとき、アウェイ・チームの名簿の中に、あの少年と同姓同名で、しかも出身地までもが同じ選手を見つけた。

「そうであって欲しいが、そんな都合の良すぎる成功譚などありはしない」

　猜疑心と肯定的願望が心中でせめぎ合い、試合観戦どころではなくなった。

　結局、成績上位のホーム・チームの完勝。試

合後、スタンド下のコンコースへ下りた。ファンがたくさん集まってお祭り騒ぎ、その人波を掻き分け、ビジター側のロッカーサイドへ向かった。熱狂的ファンが、こちらにも大勢詰めかけていた。

　選手が出てくるのを待つ間、ファンの熱気に圧倒され、私は次第に怖気づく。そして、何を確かめたいのだと自問自答した挙句、その場から逃げるように立ち去った。

　選手があの少年であったかどうかは、今もって定かでない。しかし、結果的にはそれで良かったと考えている。

　それにしても、脳裏に甦るのはなぜか、サッカーボールをリフティングする少年のモヤにかすむ薄灰色の影と、朝の陽光射し込む石畳のカジェである。

　私は一時期、首都マドリッドに暮らした。とは言え、実態は、本業の目途が立たないままの、明日をも知れないボヘミアン生活。そんな不安定な暮らしの中にも、楽しみはあった。その一つは、スペインが誇る闘牛の見物。毎年五月の例大祭サン・イシドロに合わせ、当代の一流闘牛士が、ベンタス闘牛場に大集結する。熱烈な闘牛ファンとまではいかないまでも、このイベントを心待ちにした。

　贔屓にする闘牛士がいた。彼は、華麗なムレータさばきで人気の正闘牛士であったが、本来助手の役割の、バンデリーリョ（銛打ち）の名手でもあった。ベンタスを訪れたその日、闘牛士は、観衆の拍手と歓呼に催促され、掌を広げてバンデリーリョを制止、自ら二本の銛を両手に持った。

　この季節、太陽が沈むにはまだ早く、斜光が丸屋根をかすめて射し込む。ソル（光）とソンブラ（影）の曲線が、闘牛場の砂に描かれる。闘牛士は、銛を持つ両手を頭上高くかかげ、その曲線の境に立って、雄牛と正面に対峙。闘牛士の影が、闘牛場を囲む板塀へ長く伸びた。

「獲物を狙うカマキリみたいだ」

そう思った瞬間、二つの黒い塊が激しく交錯。闘牛士は、雄牛の鋭く尖った角の一撃を見事にかわし、二本の銛を盛り上がった肩に突き刺した。


闘牛士の死を知ったのは、マドリッドでの生活を切り上げ、帰国して数年経た頃であった。新聞記事によると、コルドバ県北部の地方都市にある闘牛場、太腿を角で刺されての多量失血死。享年三十有余、若すぎる死であった。

私は、スペインへ再渡航した際、闘牛士の生まれ故郷を訪ねた。

マドリッドのバラハス空港に着くと、翌朝さっそく、アトーチャ駅発の特急列車で終着駅の町に向かった。駅頭に降り立った途端、アンダルシアの太陽が強烈に照り付け、大西洋の潮風が肌にまとわりついた。

まずは港近くの旧市街へ歩いて向かった。細いカジェが複雑に入り組み、目印となるような建物が見当たらない。手帳に書き留めてある住所を頼りに探し回ったが、なぜか同じカジェを堂々巡りするばかり。時間だけがいたずらに経過して、大粒の汗が額に浮かび、迷路に紛れ込んでしまったかのような感覚に襲われた。

自力での探索を諦め、買物かごを手に通りかかった主婦に問うと、コの字型のカジェの脇道に入るのだと教えられる。何のことはない、先程迷いに迷ったカジェではないか。改めて逆戻りすると、同じ高さの建物が軒を並べるカジェの、僅かな隙間が、目的の住所の入口であった。

そこは袋小路のカジェ。周囲の高い建物の陰になって、陽光が射し込んでこない。潮風を含んだ湿気が、行き場を失って淀んでいた。突き当たりの建物は、外壁の漆喰が一部で剝がれ、平板のはすかいが組まれている。空き家だろうか。まさかとは思いながら、そこへ近付き、埃だらけの家扉に貼られたプレート板を確かめると、果たして闘牛士の生家だった。

闘牛士の生前の雄姿と、目の前の粗末な家格好との落差。そう言えば、先程道を教えてくれた主婦の、蔑むような口調が気になる。闘牛士がここに暮らした時代、差別される謂れが一家にあったのか、それとも少年期の闘牛士自身の悪習にあったのか。

いずれにしても、吹き溜まりのようなこのカジェに生まれ育った少年の夢は、外界への飛躍であった、と想像するに難くない。どういう経緯があったか、闘牛士への道を歩むことになる。結果、見事におのれの人生を切り開き、ヒエラルキーの頂点へのぼりつめた。

ハンカチでプレートの汚れを落としながら、運命の不条理について考える。

「アンダルシアの太陽は、数多の雄牛が血を流したであろう闘牛場の砂の上に、慟哭の悲劇を用意して待っていた」

『流浪の民ジプシー』という言葉には、魅惑的な響きがある。

渡欧した当初、西欧各国の道路を車で走っていると、ジプシーが道路脇の広場や空地にトレーラーやキャンピングカーを停め、洗濯物がヒモに吊るされ煮炊きの煙が立ち昇る、移動生活を度々目にした。まあ、優雅な暮らしぶりとまでは思わないが、独自の生活様式を護っているのは分かった。

彼らは、ヨーロッパ各国に住み、様々な呼び方がされる。ドイツ語でチゴイネル、フランス語でボエミアン、そしてスペイン語でヒターノ（総称及び男性、女性はヒターナ）。ちなみに、彼らは誇りをこめ、自らをロム（複数はロマ）と呼ぶそうな。

西欧へ足繁く通うようになると、生活実態は

生やさしいものではないと知る。ジプシーは、文字通りの流浪の民、住む国の同化政策を拒み、どの国でも差別の対象にされた。その点、スペイン人は、彼らに対して寛容な国民に思えた。ここアンダルシアに限っても、職業と住居を持つ定住ジプシーの集落が、あちこちに散在した。

ムーア人の宮殿が聳える丘と向かい合う、旧市街の丘の頂、アーチ型の城門脇の広場では、青空市が平日の朝に開かれ、近場の住人で賑わった。見るからに、この国の女性とは異質の衣装を着た女性が数人、広場のベンチ前にシートを広げて、ニンニク、キノコなどの野菜を売っていた。聞けば、隣の丘の集落に住むヒターナ（ジプシー女性）。この時、定住ジプシーの存在をはじめて知った。

ヒターナと地元の買い物客は、笑顔で値段交渉の掛け合い。傍目には、垣根が両者の間にあるとは思えなかった。しかし後に、表面的な考察にすぎなかったと知る。警察署にご厄介に

なった経験がある知人によると、窃盗、スリなどの軽犯罪で留置されたヒターノが、拘置所内に溢れていたとか。それが事実だとしたら、彼らがこの国で置かれた立場は、あまり穏やかなものではない、と想像できた。

無論、本当の事情は分からない。彼らと言葉を交わしたのはごく数える程でしかなく、コミュニティに迎え入れられた経験もなかった。それでも、アンダルシアの白い村や町のカジェを回っていると、彼らと出会う機会が多々あっ

て、気になる存在であり続けたのは確か。

ここでは、深く印象に残ったヒターナ、対照的な二人の少女との、カジェでの出会いを語りたい。


少女は、股を大開きにして、タイル張りの石畳に座り込んでいた。そこは、この町一番の繁華街。銀行・商店が軒を並べ、人の往来が絶えない、歩行者天国のカジェである。私は、バルの窓際の席に腰掛け、コーヒーを飲みながら、少女へ視線を送る。

服装は、お世辞にもきれいとは言えなかった。埃と汗で汚れたブラウスに、着古しの擦り切れたスカート。髪はショートカットされていたが、シャワーを長いこと浴びていないらしく、絡み合っている。通行人は、少女の方を一瞥しても、空き缶へコインを投げ入れることはまれで、足早に通り過ぎていく。少女は、所在無げに傍らの石畳を指でなぞった。


突然、緊張が少女の顔に走った。大人の女が現れ、少女の前に仁王立ちしたのだ。赤子を胸に抱いている。女は、赤子の頭を片手で支えながら屈みこむと、もう片方の手で空き缶を取り上げ、掌の中で小銭を数える。どうやら少なかったらしく、少女の面前に人差し指を突きつけ、叱声をあびせる。少女は、恨みがましい白目で女を見上げ、ブツブツ呟き返した。

二人はどういう関係なのか。女は、長い頭髪を後ろで束ねてスカーフで巻き、この暑いのにカーディガンを羽織って、長めのギャザリング・スカートをはく。明らかに、アンダルシアの街角でよく見かける、物乞いのヒターナ（ジプシー女性）のひとり。

女は叱り疲れたらしく、空き缶を少女の股間へ戻すと、最後の罵声を置き土産にその場を立ち去った。


少女が座っている場所は、タバコや文房具を売る店のショーウインドー前。この町で有名なタブラオの宣伝用ポスターが、ウインドーガラスに貼ってある。それは、半切サイズの全面カラー写真で、真っ赤なフラメンコ衣装のバイラオーラが、スポットライトを浴びて、フラメンコを踊るカットであった。

つむじ風が、砂塵を巻き上げながら、カジェを吹き抜けた。ポスターの端が、パタパタとめくれ、フラメンコダンサーがその場で踊っているかのように揺れる。少女は、それには全く関心を示さない。埃が目に入ったのか、汚れた指で目元をしきりにこすっていた。

アンダルシアの太陽はいつの間にか、ほぼ真上に昇った。光と影に切り裂かれた石畳、少女はその境界辺りに座る。暇を持て余してか、体を前後に揺すると、絡み合った髪の毛が、光と影の狭間を行き来し、輪郭を描いては消した。

バルを出ると、つり銭のシンコズーロス硬貨（二十五ペセタ）を空き缶へ入れた。その瞬間、「偽善者、その程度の小銭でどうなるものでもない」と自嘲的に呟く。少女は、こちらを見ようともせず、「グラシャス」と投げやりな口調を返した。

曲がり角まで来て振り返ると、無数の靴に踏まれて黒光りする石畳が、強烈な陽光を眩しく照り返した。背を屈めてそこに座る小柄な黒い影が、カジェに捨て置かれた物体か何かのように見えた。

崖上のムーア人の宮殿と、小川程度の細い流れを挟んで向かい合う丘は、定住ジプシーの集落があることで知られる。その集落を抜けた先の、丘最上部には、ジプシーが移動生活をしていた時代の名残の、洞窟住居跡が残されている。あの日、私はそれらを撮影して回った。大多数は、外壁が崩壊したままに放置され、横穴だけが残る。それでも、その内側の漆喰壁が、煮炊きの灰で黒ずみ、生活があったことを明示。

撮影を終え、長い石段を下って、定住ジプシーの集落へと戻る。真昼の時間帯なのに、集落内のカジェは、人通りがまったく途絶え、不気味に静まり返っていた。

有刺鉄線の巻かれた壁が、坂道の片側に延びる。サボテンの花が、その壁を越えて咲く。突き当たりは、洞窟を改装して造られた、フラメンコのタブラオ。タイル画が、その上部の半円形の壁にはめ込まれてあった。赤いバラを口にくわえたポーズをとるバイラオーラ。

私は、その艶やかな絵につい見惚れてしまい、タブラオ前の三叉路で、別の坂道を下ってきた女性二人連れと、危うく衝突しそうになった。

「ごめんなさい」

身を翻して、衝突を避けた。

「こちらこそ。会話に夢中だったわ」

若い方の女が、素直に謝った。

女の顔をまじまじと見つめ、「ケッ　ボニータ（なんて美しい！）」と自分でも驚く誉め言葉が、咄嗟に口をついて出た。

称賛の言葉に慣れているのか、見知らぬ外国人、東洋の男の不躾な賛嘆の声にも、彼女は動じていなかった。

「どこの国の人」

「ハポン（日本）だよ」

「知らないわ。きっと、遠い国なのでしょうね」

年齢は十代半ばぐらい。この国のその年代の

大多数同様、大人の女と呼ぶには細身で、頬にふくらみがなかった。

隣の年上女は終始無言。顔は浅黒く眉が濃い。白眼が殊の外鋭かった。長髪を後ろで束ね、前髪をかき上げ額を広くみせている。典型的なヒターナ（ジプシー女性）の風貌である。

二人は母娘だろうか。顔付きが似ていなくもないが、母親らしき女の肌が見事なほどの茶褐色なのに、女の子の肌は透き通るように白かった。二の腕が白人種のそれのようにピンクがかっている。


私はふと、ある男を思い浮かべる。

あれは十数年前、今回同様に洞窟住居跡を撮影していたとき。外壁は崩れていたが板塀で補修され、内部の漆喰壁がひび割れ程度で保存状態の良い横穴に、白人の若者が暮らしていた。スプリングが剝き出しの簡易ベッドと二、三の調理器具など最低限の生活用品を備えてあった。

国籍を問うと、イギリスのウエールズ地方の出身、ウエルシュだと名乗った。世界放浪の果てにこの地へ流れ着き、懇意となったヒターノの計らいで、この横穴をただ同然に借り受け、自炊生活を続けているとのことだった。

「快適ですか」

「もちろん。ジプシー連中はいいヤツばかりさ。なぜスペイン人が彼らジプシーを毛嫌いするのかが分からないね」

若者に特有の、少しばかり驕慢な口調で答えた。

それが最初で最後の出会い。あの後、彼が放浪生活にピリオドを打って帰国したのか、もしくはヒターノのコミュニティに受け入れられ今も暮らしているのか、消息をまったく知らない。もしこの集落に暮らしていたとしたら、目の前の、このぐらいの年頃の娘がいたとしても驚かないが……。

　女の子は、私の問いた気な表情を誤解して、先に口を開く。

「セビーリャのアカデミーで、有名な先生に、フラメンコを習っているのよ」

「立派なダンサーになれるといいね」

「もちろんだわ。世界中の舞台で踊ることが夢よ。イギリス、フランス、ドイツ、そしてアメリカでしょ」

　自信たっぷりの顔で、外国名を指折り数えた。そして、顔を上げると、好奇心に目を輝かせる。

「アナタの仕事は何」

「カメラマンさ」

「まあ、素晴らしい。世界中を回っているのでしょうね」

「ウン。回っているよ」

　実際、この時期には、稼業が軌道に乗っていて、世界各地を取材旅行。年間を通じ、旅に明け暮れていた。それでも、まあ、年に一度はこの国へ、ここアンダルシアへ来ていた。

「アナタの国でも、踊ってみたい」

「その時は、写真を撮らせてくれるかい」

「ええ、もちろんよ。良いアイデアだわ。約束しましょうね」

　女の子は、はしゃいだ声をあげた。

　年上女は、とうとうシビレを切らしたかのように、私を胡散臭そうに睨みつける。そして、女の子の方へ腕時計をみせながら、低い声でせかした。

「カルメン。早くいかないと、列車に乗り遅れるわよ」

　女の子は渋々うなずくと、「また、会いましょうね」と私の方を見て念を押した。

　二人は並んで、タブラオ前の三叉路から、河畔の石畳道へと通ずる細いカジェを下っていった。

　私は、彼女たちを見送った後、アンダルシアの光溢れる空を見上げる。なぜか、目に喪失の痛みを感じた。

アンダルシアの祭り

アンダルシアの道は
白い村や町の祭りを
訪ねる道でもあった

私は、スペインに長期滞在、その集大成とすべく、全国各地の祭りを撮影行脚。日本との間で何度かの出入国を繰り返したが、足掛け三年余りの期間をかけ、総数にして五十ぐらいの祭りを撮影した。

スペインは、地域性が豊かで、祭りが多種多様にある。例えば、北部のナバラ地方はパンプローナに代表される牛追い祭り、東部のカタルーニャ地方はカタラン民族団結の証の人間ピラミッド、メセタ（中央台地）のラ・マンチャ地方は冬明けを祝い国教に土着信仰の悪魔祓い行事、北西部のガリシア地方はリアス式海岸の良港での漁師祭り、南東部のレ・バンテ地方はバレンシアのファージャ（張り子の人形）を燃やして夜空を焦がす火祭り等々。

スペインの祭事は、多くが国教カソリックの年中行事に由来。それらは、毎年ほぼ決まった時期、多少の日程的なズレはあるが、全国一斉に開催される。加えて、地方独自の祭礼があるのは言うまでもない。村や町ごとの、あるいは教会ごとの守護神を祀る祭礼である。言い古された表現ではあるが、この国では、祭礼が年間を通じてどこかで催されている。

この章では、アンダルシア地方に絞って紹介。私は主に、このアンダルシアでは、晩冬の頃から、酷暑前の初夏の季節にかけて、祭り開催地を訪ねた。以下に、カレンダー通りの順番で記述する。

二月から三月初旬。キリスト教の年中行事、カーナバル（謝肉祭）が、アンダルシアの祭りの先陣を切って、大西洋に面した半島の街カディスで開催。古の時代からの港町で、スペイン無敵艦隊が母港とし、数多の冒険者たちが新大陸へと船出した。半島先端の旧市街は、同じ高さの出窓を備えた民家が美しく軒を連ねる。祭りの主要会場は、その旧市街を縦横に交差するカジェ。参加グループは、市庁舎前のサン・ファン・デ・ディオス広場や、カテドラル前広場へ、思い思いに工夫した衣装を着て集合。

カーナバル（カディス）

爆竹花火が、海辺の岩礁に築かれた要塞周辺で打ち上がった。各団体のパレードは、その破裂音を合図に、次々と広場を出発。市場近くのカジェで待っていると、揃いの衣装を着たグループが、花で装飾された乗り物に乗って現れ、その列がそれこそ延々と続いた。

女装の男子学生が、風船をセーターの胸元に入れて膨らませ、トラクターの荷台でコミカルに腰を振る。破れ帽子を被った日焼け顔の中年男が、ドン・キホーテの従者サンチョ・パンサよろしくロバにまたがり、オモチャのラッパをおどけた動作で吹く。華やかなフラメンコ衣装で着飾った女子供が、軽トラックの荷台で踊りながら、路上の観客へ投げキスをする。

ちなみに、当時のアンダルシアは、農業主体の社会基盤。農耕用のトラクター、使役動物のロバやラバが、乗り物として数多く使用されていた。

かの有名なリオデジャネイロのそれに比べると、規模はかなり劣るし、洗練されてもいなかった。しかし、その分手作り感にあふれ、参加者、見物人の双方が地元民なこともあって、和気あいあいとした雰囲気に包まれる。

大西洋岸の港町はこうして、他地域より一足早く春の到来を祝った。


三月から四月にかけての不定期。キリスト教最大の年中行事、セマナ・サンタ（聖週間）が、全国規模で開催される。英語圏では、イースター（復活祭）と呼ばれる行事。

アンダルシアでは、州都セビーリャのセマナ・サンタが最も有名。規模の大きさは、スペイン国内で一、二を争い、神輿の数や行列に参加の人員が桁違いに多かった。名実ともに、荘厳な儀式である。

メインとなる舞台は、歴史地区にあるカテドラル前広場。パソと呼ばれるキリスト像の神輿やマリア像の神輿に加え、信徒集団のプロセッションが、セビーリャの象徴、ヒラルダの塔の下を切れ目なく続いた。

儀式を中断しての休憩時、神輿が支え台に載せられ、担ぎ手が緞帳のビロード幕をめくって顔を出した。彼らのほとんどが、浅黒い顔にちぢれた髪の毛。ヒターノ（ジプシー）に違いなかった。

「この国では、宗教儀式までもが、彼らの肉体労働によって支えられているのか」

と、私は少しばかり義憤にかられ、行事の進行を冷静に受け止められなくなった。

それは後になって、誤解だったと知る。祭り行事のパンフレットによれば、ヒターノ独自の神輿行列があったのだ。

そんな経緯があったので、二度目で余裕を

セマナ・サンタ（グラナダ）

持って見ることができた、翌年のグラナダのセマナ・サンタをここでは紹介。

祭事の舞台は、アルハンブラ宮殿の向かい側にあるアルバイシンの丘。プロセッションは、日曜日に始まって、キリストの誕生、背負う十字架、磔刑と続き、聖金曜日の聖母マリアに抱かれたキリストをクライマックスに、次の日曜日に復活するまでの一週間、毎日行われた。イスラム教徒支配時代の名残をとどめる狭い坂道を、パソが下る光景はエキゾチックな雰囲気に満たされ、神秘的でさえあった。

日が落ちて、アルハンブラ宮殿がライトアップされて夜空を背景に浮かび上がる頃、アルバイシンの丘中腹にある教会前のカジェは、身動きできない程の人で溢れ返った。信仰心篤い人々の期待がいやが上にも高まると、プロセッションが動き始め、坂道を静々と下った。

先頭は男性信徒集団。一種異様とも思える風体、両眼の部分がくり抜かれた三角頭巾を被って、光沢のある一枚布のマントを羽織っている。見ようによっては、アメリカ南部の白人至上主義者を連想させる。勿論、そんな暴力的厳めしさはなく、子供が多く含まれていた。彼らは、金糸銀糸で刺繍されたフラッグを掲げ、金銀装飾された棒で石畳を軽く叩きながら、キリスト像を戴く神輿の前を行く。担ぎ手は、緞帳に隠れて足先しか見えないが、神輿を左右に重々しくゆすりながら、厳かな足取りで歩く。坂道の両端に居並ぶ人々は、終始神妙な顔つき、神輿を目前に迎えると十字を切って、そして歓喜に胸震わせ見送った。

マリア像の神輿が続く。多数のローソクの灯火が聖像を囲み、白銀色の天蓋が赤く輝き、マリア様の涙の雫が光った。神輿の後ろに従うのは、全身黒ずくめの衣装を着た女性信徒集団のプロセッション。年齢は様々である。高齢女性もいれば、年少女性もいた。彼女たちのほとんどが、燭台を慈しむように手に持っていた。そのプロセッションの先陣を務めるのは、多くが十代半ばの女の子。初めての参加で緊張か、それとも感動の余りか、瞳を潤ませている。

カメラのファインダーをのぞきながら、一人の女の子が気になる。長い髪を黒いリボンで束ねていた。ローソクの赤い炎に照らされた頬が、ピクピクと小刻みに震える。まつ毛が濡れ、涙が今にもこぼれ落ちそうになる。教会前に差し掛かったとき、とうとう感極まって、周囲に聞こえる程の嗚咽を漏らして、涙を流した。

四月下旬。スペイン三大祭りの一つ、セビーリャの春祭りが開催。主要会場は、グアダルキビール運河をはさんでスペイン広場と向かい合う、春祭りのためだけにリザーブされてある、広大な空地。

期間中、移動遊園地のゴンドラ、回転木馬、ジェットコースター等々、大型乗り物がその空地に次々と設営され、サーカスの巨大なテント幕が張られた。

　そして、カセタと呼ばれる大小様々な仮設テント小屋が、移動遊園地隣接の敷地に立錐の余地がない程建てられた。大きなカセタは、オーケストラ演奏の可能な舞台が設置され、飲食できるテーブルとイスに調理場までが備えられている。それらは概ね、大会社の社員とその家族の慰安に加え、取引相手との親睦目的。対照的に、十人入ればいっぱいになる小さなカセタは、数脚のイスとテーブルを置いただけの簡素な造りで、親類縁者や町内会などの慰労と結束を兼ねていた。

春祭り（セビーリャ）

　祭りは十日余りの長丁場。前半は盛り上がりに欠けるのも止むなしか。大多数の市民は、通常通りの通勤通学。私の見た範囲では、近郷近在の物見高い人々、あるいは外国人観光客の数が多いように思えた。

　それでも、日が進むにつれ、祭りらしくなる。両側をカセタにはさまれ、頭上を花ぼんぼりで飾られた通路は、着飾った民族衣装の女性を乗せた馬車が行き交い、粋な乗馬服を着たガッポガッパ（伊達男伊達女）が隊列組んで並足行進した。

　大観覧車の輪が茜色の空をバックにグルグル回る時刻になると、仕事を早仕舞いした市民が子供連れで、イルミネーションがともる入場ゲートを続々とくぐった。子供たちの多くは、移

春祭り（セビーリャ）

動遊園地の乗り物が目当て、あれこれと乗り換えては大はしゃぎ。大人たちは、子らに翻弄されて園内を右往左往した。乗り物の機械音が会場内を絶え間なく響き渡り、大人や子供の笑い叫び泣き叱る声が錯綜した。

大カセタでは、オーケストラ楽団の演奏が始まり、艶やかなフラメンコ衣装で着飾った女子供が我先にと舞台へ上がって、セビーリャの踊りセビヤナスを踊った。小カセタでは、老夫婦が、兄弟姉妹が、親戚一同がイスやテーブルをどかして隙間をつくり、セビヤナスを心ゆくまで踊った。

夜が更けると、熱気が高まる。カセタへ入り切れなかった人々が、外の通路へあふれ出した。即席の舞台があちこちにでき、男がギターを弾くと、男女のセビヤナスを踊る輪が広がる。人々の手拍子が繰り返され、国内外の観光客が飛び入り参加。見様見真似で踊る外国人が、拍手喝采を浴びたり、笑いを誘ったりした。

週末の、春祭り最後の夜。会場は、熱気が最高潮。カセタの内外は人で溢れ返り、身動きができないぐらいに混み合った。大カセタでは、オーケストラが次々と楽曲を演奏、人々は舞台へ上がっては踊り、それに疲れればテーブル席へ戻って、飲んで食べての大騒ぎとなった。小カセタでは、幼子がイスにもたれて寝ている傍ら、大人たちが声高に笑い合っていた。そうして、饗宴はいつ果てるともなく続く。

移動遊園地は、最後の稼ぎ時とばかりに、各種乗り物がフル稼働。なかには、燃料切れ状態なのか、悲鳴に似た不規則なガタガタ音を上げる。子らはそれでも元気、祭り最終日の夜を思う存分駆け回った。

大人たちは、移動遊園地とカセタを結ぶ通路にあるレストラン街へ繰り出して、仮設テントの下をグルリと囲む矩形のカウンターで、アルコールに酔い痴れる。丸焼きブロイラーの匂いが辺りに漂い、食欲を誘った。富クジ売りの女が、ここぞとばかりにスピーカーでがなり立て、ブラブラ歩きの客の射幸心を煽った。

深夜、祭りの喧騒とは無縁の人々がいた。黄色人種を含む国籍不明の、男女のテキヤが、カセタの明かりを利用して通路にシートを広げ、アクセサリー等小物類を並べる。結構商売にはなっているようで、十代半ばの女の子があれこれと品定めして歩く。怪しげな売人、レタスに塩酢を振りかけて売る若い男、パイナップルを

春祭りのスペイン広場（セビーリャ）

輪切りにして売る中年男、シェリー酒を紙コップで売る女が、群衆の間をうろつく。そして、ジプシー母子が、酔っ払いや外国人観光客の懐を当てにして動き回る。

東の空が白む頃、春祭りは終わりを告げた。人々の姿は、カセタ内からも移動遊園地からも、潮の引くように消える。すると、宴の後の何とやら、虚脱と静寂が会場内を支配した。

翌朝、正しくはその日の午前になると、セビーリャ市内は、商店も会社も学校も全てが休みになって、歩く人影はまばらで、車が時折忘れ物を捜しに戻るかのように行き交うのみで、まるでゴーストタウン。だが、アンダルシアの太陽は、人間世界の事情など頓着しない、今日も青空高く光り輝く。その強烈な光が、いっそう気怠さを助長した。

私は、この空気感がたまらなく好きだった。春祭り終了後の午前中には決まって、スペイン広場へ出向く。各県の名所を模したタイル画のはめ込まれてある、回廊前のベンチに腰掛け、ハトが観光客の姿なく所在投げに群れる光景を眺めながら、祭りの余韻に浸った。

四月。セビーリャの春祭りと同時期に、ハエン県西部の、コルドバ県との県境に近い町アンドゥハールで、カベサ巡礼祭が催される。スペイン観光局発行の祭りカレンダー、その小冊子に掲載された一覧表で、祭りの名を初めて知った。市街地から北へおよそ三十キロ離れたカベサ（山頂）にある、マリア祠堂へ巡礼する行事。

暗さがまだ残る夜明け前に宿を出て、この祭礼の事情がよく呑み込めぬまま、山麓へ向かった。そこへ着くと、徒歩巡礼者の多くはすでに出立、町の周辺で農作業の農民とその家族の一団が後発で集まっていた。彼らの多くは、当時の農村では一般的に使役されていた家畜の、ロバまたは雄ロバと雌馬の雑種ラバが引く幌車に、家族全員が乗っての巡礼行。

私はまだ若かったので、体力に自信があり、たいした距離ではないと侮って、彼らに付き従って、山道を登った。しかし、行けども行けど登り坂が続き、さすがに足の痛みを覚え、休み休みとなった。

「乗りなさい」

ラバ車の御者、いかにも人の良さそうな日焼けした農夫が、疲労困憊の東洋人を見かねて、声をかけてくれた。

好意に甘えた。荷台に乗ると、民族衣装の妻と二人の娘が、見慣れぬ日本人に興味津々で、一頻り質問攻めにした。しかし、私のスペイン語能力の無さに飽きて、持参の菓子を頬張って、女同士のおしゃべりの方に夢中になった。その様子は、まるでピクニック。時折、「ビバ！ビルヘン・デ・ラ・カベサ」と声を張り上げ、これが神聖な巡礼行であることを思い起こさせ

カベサの巡礼（アンドゥハール）

た。

山頂に到着すると、マリア祠堂前広場はすでに巡礼者たちで溢れ返っていた。彼らは、興奮と熱情を辛うじて胸に納め、その瞬間を今か今かと待ち構える。

やがて、マリア祠堂の扉が厳かに開かれると、マリア像を中央の台座に戴く神輿が、男性信徒に担がれてお出ましになった。

「ビバ！　ビルヘン・デ・ラ・カベサ」

カベサのマリア様を讃える大唱和が、ゴツゴツした岩が剝き出しの広場の、あちらこちらで波濤のように湧き上がった。

神輿は、銀色のドーム天蓋を支える四本の柱が無数の花、赤いバラや白いグラジオラスなどで飾られる。年若い神父二人が、マリア像の台座脇に、介添え役として座る。その神輿を載せた三本の太い角材を、大勢の屈強そうな男たちが隊列になって担ぎ、ムカデが歩くように巡行した。

神輿が近付くと、巡礼者たちの唱和と歓声が繰り返される。山頂の冷気の中、人々の熱気がほとばしった。何人かの幼児が、広場を埋める群衆の頭上を順送りされ、介添えの神父の助けを借りて、マリア像に触れた。その刹那、幼児の母親らしき女が、歓喜の叫び声を上げ放った。

黒雲が、向かいの山の稜線に湧き、こちらへ向かって広がると、小雨がポツリポツリと落ち始める。そんな悪天候の中でも、神輿の巡礼行はとどまることなく続き、大唱和と歓声が、山中にこだまとなって響き渡った。

五月初旬。コルドバでパティオ祭りが開催。旧市街の、イスラム教徒支配時代の名残を今に伝える伝統家屋の中庭（パティオ）が、祭りの舞台である。そこは普段、市民のプライベートな居住空間であって、アイアンレースの扉で閉じられている。部外者は、外の通路から垣間見るだけである。祭り期間中、そのパティオが、市民や内外の観光客に広く開放された。

コルドバは元来、慎ましやかな古都。花の小径に代表されるように、花に飾られた印象だが、カジェに軒を連ねる白壁の民家は、意外にも無愛想なほどに平面的。花咲くパティオ（中庭）は、京都の町家と同様、家奥にひっそりと隠されていた。

パティオは、多くがアラブ式庭園。砂漠の民の庭園らしく、オアシスを思わせる噴水が、総タイル張りの噴水池と共に中央に据えられた。葉の長いドラセナなどの観葉植物がその周囲を囲み、バラなどの花壇が更に外側を囲む。

その昔貴族の館であった邸宅は、パティオが当然大きく、前述の造園構成に加え、花木やヤシなどが外周を囲んだ。周囲の建物は、歴史的格調が高く、多くが回廊を備え、出窓のある角部屋やベランダが配された。ゼラニウムの花鉢とか、民芸調の陶器皿とかが、回廊の柱やベランダの手摺りに飾られ、いっそうの華麗さを演出した。

パティオ祭り（コルドバ）

行事自体は淡々と進行。移動遊園地が設営されたビクトリア公園界隈を除くと、祭りに付き物の賑やかさに欠けた。それでも、審査結果が新聞紙上で発表されると、上位入賞者のパティオには、見物人が市内外から押し寄せ、この時ばかりは、普段静かなパティオが大いに賑わった。

私は、その朝無料で配られた新聞に掲載の上位入賞者宅、旧市街の一画にある、豪壮な邸宅を訪ねた。

大庭園の南国風のシュロの木の間を抜けたところが、この家のパティオ。モスグリーンのベランダと回廊を持つ建物が、パティオをグルリと囲む。鉢植えのゼラニウムが、ベランダの手摺りの端から端までに掛けられ、伝統紋様のタイル皿が、回廊の白壁に何枚も飾られた。いかにも華やかな装いだが、パティオ中央に置かれた噴水は、周囲とは対照的に、淡いライトブルーのタイルで円く囲われていた。

カメラ・アングルを探していると、家主と思われる白髪の高齢男性が、上階のベランダから顔をのぞかせ、手招きした。そして、日本人だと知ると、「アナタの国は経済が発展しているが、こんなにも素晴らしい庭があるかね」と得意満面の笑顔で自慢した。

五月第二週。馬祭りがカディス県のヘレス・デ・ラ・フロンテーラで開催される。ヘレス酒（シェリー酒）の名産地として知られ、ボデガ（醸造所）が町の各所に点在。そんなボデガの一つ、ティオ・ペペで有名なゴンサレス・ピアス社を訪ねると、裸電球がともる薄暗い庫内に、黒い熟成樽がピラミッド型に積み上げられ、伝統の重厚さを感じさせた。

祭りを訪ねたのはこの国へ来て間もない頃、大方の記憶は薄れてしまった。それでも、祭りの主要会場である馬術競技場、その瀟洒な雰囲気は、脳裏に深く刻まれた。メインスタンドは、英国ビクトリア王朝風の破風屋根に木組みの建物の前。しかも、タキシードにロングドレスの紳士淑女が、その貴賓席に座った。ここはイギリス貴族の社交場か、と目を疑った。

幕開けは、馬車数台による場内周回パレード。馬車を引くウマは全部で六頭、馬体がピカピカに磨かれ、たてがみが色とりどりの花ぼんぼりと鈴で装飾された。御者は二人、燕尾服に山高帽の正装。そして、町の有力者か政治家らしき数名の高齢男性と奥方が、馬車の客席に座った。御者がムチをしならせると、六頭のウマがリズミカルにトロット。座席の紳士淑女が、ヘレス酒のグラスを優雅に酌み交わした。

馬祭り（ヘレス・デ・ラ・フロンテーラ）

当時、アンダルシアは農業大国。そのためか、多くの祭りはどこかあか抜けなくて、泥臭さが感じられた。しかし、この祭りに限っては、他とは一線を画していた。それが、銘酒の国外輸出で大いに栄えていた町の、豊かさの証であったろうか。

参加団体による馬術競技が始まった。グループごとに分かれて、馬術の統一された技を競った。揃いの乗馬服を着た騎手が、それぞれのウマに乗馬、リーダーの号令一下、列の並びを縦横に替えながら、前後左右にステップを踏み、一糸乱れぬダンスを披露した。

見事なものである。昔、旅先のウイーンの王宮で、馬術学校のデモンストレーションを観たことがあったが、それに勝るとも劣らない技量に思えた。

ロシオ巡礼の祭り

五月下旬から六月初旬の一日。キリスト復活後五十日目の聖霊降臨祭が、ウエルバ県東部、世界自然遺産ドニャーナ国立公園に隣接する、エル・ロシオ村で開催。

個人的には、このエル・ロシオ巡礼の祭りがスペイン最大の規模を誇る、と考える。なにしろ、アンダルシア各地の市町村が独自の巡礼団を組織して、聖地エル・ロシオを目指して巡礼行する。まさに、アンダルシア全土を巻き込んだ祭事なのだ。

私は、写真雑誌でこの祭りを知った。何度目かのスペイン来訪時、セビーリャへ向かうと、歴史地区とはグアダルキビール運河を挟んで向かい合うトリアナ地区、その巡礼団に飛び入り参加した。

実に、無鉄砲な行動。スペイン語を本格的に勉強したことがなく、片言程度の会話力。しかも、現地の知人は皆無に等しかった。今思い返すと、そんな心もとない状態で、よくぞ巡礼の道を踏破した。勿論、現地の人の協力なしにはなしえなかった。見ず知らずの外国人を受け入れてくれたトリアナ巡礼団、巡礼の人々には感謝の念しかない。若き日のその体験は、貴重な宝物になった。

ここでは、セビーリャ出発から聖地エル・ロシオまでの巡礼行と、聖霊降臨祭当日の顚末を、順を追って詳述する。

爆竹花火がグアダルキビール運河上空に放たれた。トリアナ巡礼団は、その爆裂音を合図に、結団儀式を執り行った教会前を、一列になって出発。先頭は、御輿車（シンペカドス）、白銀色の天蓋と支柱を持ち、台座にマリア像を戴く。

巡礼の道

車輪は、軸木が白く塗られた木製で、左右に一つずつ。このシンペカドスを引くのは、肩の筋肉が盛り上がった、いかにも力強そうな雄牛二頭。牛使いの男が、雄牛の横へ寄り添い、ムチを揮って制御した。

徒歩巡礼者が、その御輿車に付き従った。彼らは夥しい数、その列はそれこそ延々と続き、いつ果てるとも知らずの表現が決してオーバーではなかった。私もまた、彼ら徒歩巡礼者の一人として加わった。

徒歩巡礼者一行がやっと通過し終えると、ロバやウマが引く幌車、寝具・調理器具を積んだトラクター、自家用車の隊列が、これまた延々と続いた。乗馬服に身を包んだ男や民族衣装を着た女のまたがるウマが、隊列に加わったり離れたりと、前後を行き来した。

巡礼の道は、聖地エル・ロシオまでの約六十キロ、一泊二日の行程である。

トリアナ巡礼団は、セビーリャの市街地を抜けると、大河グアダルキビール沿いのローカル道を南下した。周辺は、夏の気温四十度超えが珍しくない、スペインでも一、二を争う高温地域。盛夏前で酷暑とまではまだいかないが、それでも麦秋を迎えた畑の枯れ色が、暑苦しさを際立たせた。

白い村コリア・デル・リオに入った。住民の歓呼の声に迎えられ、シンペカドスは車輪をゴトゴトさせながら、中心部を進んだ。町のメインストリートとは言え、当時の道路事情は最悪、前方が霞むほどに砂埃が舞い上がった。徒歩巡礼者の多くが、しばしば立ち止まって、水を浸したハンカチで目元を拭った。

巡礼団は、その村内を抜けると、徐々に進路を西寄りへ取って、グアダルキビール河岸を離れていく。いつしか、農耕地帯の真っ只中へ入る。そこは、起伏がほとんどない平坦地で、防風林の並木のほかに遮るものがなかった。葉物野菜の畑が、見渡す限り延々と広がる。集落どころか、農家一軒さえ見当たらない。そのため、アンダルシアの青天が、途方もなく高く感じられた。

しばらく進むと、早咲きのヒマワリが、あちらこちらで花を咲かせる。コルドバ近郊の丘に咲くそれと比べると、やや小ぶりである。しかし、この場の単調な緑の中にあって、その黄色は鮮やかなアクセントとなった。私は、ヒマワリの大輪の高さに腰をかがめ、カメラを構える。ロバやウマが引く幌車が、大輪の黄色のあちら側を一列になって通過していく。その光景はどこか、子供の頃に観た西部劇映画の、幌馬車の隊列に似ていた。

楽器の音が、長閑に野面を響き渡る。腹の突き出た、日焼け顔の農夫然とした男たちが、笛や太鼓で御輿車シンペカドスを先導。御輿車を引く二頭の雄牛は、ここまでの長途で、隊列の進むペースに慣れたのか、同じ速さでノンビリと進む。時折、大きな木製車輪がデコボコ道にはまって、車軸をギコギコと軋ませ、御輿の天蓋が陽光を浴び、キラキラと煌めいた。

アンダルシアの午後の太陽が、容赦なく照り付ける。徒歩巡礼者は、路面の輻射熱が加わって、まさに灼熱地獄の中にいた。大人も子供も額に汗を浮かべ、我慢の限界とばかりに、水タオルを首に巻く。誰かが自分自身を鼓舞するかのように、「ビバ！　ビルヘン・デル・ロシオ」と叫ぶと、周囲の巡礼者が口々に合唱した。

シャツに吊りバンドの男が、片言の英語を交えて話しかけてきた。会話の内容は大方忘れてしまったが、あの一言は今日でもハッキリ覚えている。その数年前に亡くなったフランコ総統についてどう思うかと訊いたとき、「イホ　デ　プータ（娼婦のガキ）」と彼は強い口調のスラングで返した。

年齢は三十代後半だったろうか。彼及び家族にどんな経緯があったかを知るには、私の会話力では限界があった。しかし、その恨みのこもった物言いが、気になって仕方なかった。

農耕地帯を抜けると、大河グアダルキビールが上流域から運んだ土砂の、堆積してできた扇状地、ドニャーナ湿地帯へ入った。湿地池へと注ぐ小川が、度々道を横切って流れる。橋を架ける程の幅も深さもないが、土手をつくって行く手を阻む。シンペカドスは車輪が流れにはまって、しばしば立往生。牛使いの男が、必死にムチを揮って、二頭の雄牛を叱咤。

徒歩巡礼者は皆、ピクニック気分で小休止、雄牛と牛使いの男の悪戦苦闘ぶりを高みの見物と決め込んだ。これもまた巡礼行の楽しみ方なのであろうか。雄牛の頑張りで、シンペカドスがどうにかこうにか小川を渡り切ると、土手の上は拍手喝采の嵐に包まれた。

そうこうしながら湿地帯を抜けると、今度は、ドニャーナのもう一つの顔、森林界が待ち構える。そこは、マツやユーカリが繁茂した緑濃い森林で、砂深い道が遥か彼方まで一直線に貫いて延びる。徒歩巡礼者の多くが、砂に足を取られて難儀した。ロバやウマの引く幌車は、車輪が轍にはまることしばしばで、脱出に苦労した。

太陽が森林の彼方へ沈む頃、巡礼団一行は、今夜の宿営地に到着。そこは、毎年利用されるキャンプ地らしく、ユーカリ林の中にポッカリあいた広大な草地。大方の巡礼者は、慣れたもので、家族や仲間単位でそれぞれに場所を確保すると、テントの設営と食事の準備に取り掛かった。

途中の店で手に入れればよいと甘く考え、ビスケットに飲み物程度しか持参していなかった。ところが、無人の農耕地帯とドニャーナとが続いたもので、当然、食料品の店一軒見当たらなかった。空腹を覚悟。そんな私を不憫に思ってか、ここまでの巡礼行を共にした同年代の若者が、夕食に誘ってくれた。好意に感謝。彼の親類縁者多数に囲まれての食事は、いささか神経疲れしたが、彼の近い親戚らしい中年女性、見事なずん胴体型のオバチャンが作った、郷土料理のガスパッチョは絶品だった。

食事が終わると、アンダルシア人恒例の宴が始まる。集めた枯枝に火がつけられると、民族衣装の女性やハンチング帽の男性が、それぞれの宿営場所から一人、二人と焚火の周りへ集まった。宴にはアルコールが付き物である。ワイン入りのボタ（皮袋）が、人から人へ手渡されての回し飲み。アンダルシア人は、手慣れたもの、ボタの飲み口を頭上高く掲げると、ワインを開けた口へ器用に流し入れた。

誰かがお得意のギター伴奏を始めると、手拍子が焚火を囲む輪のあちこちで湧き上がった。男女が二人一組となって、人々の輪の中へ飛び出して、セビヤナスを披露する。その酒と踊りの饗宴は、夜更けまで続いた。

私は、持参のシュラフにくるまって、ユーカリの木の下で野宿。焚火の炎が何かの生き物のようにチラチラ動くのを眺めた。昼間の巡礼行の疲れが残っているのだが、頭がさえて、どうにも寝付けない。夜空を見上げると、名も知らない無数の星が光っている。ユーラシア大陸東端の島国に生まれた自分が、西端のこの地で今こうして野宿していることを、不思議な縁に思った。

巡礼のエル・ロシオ到着

巡礼二日目。前日同様、一行はシンペカドスを先頭に隊列を組み、エル・ロシオへと向かった。この日はさしたる障害もなく、順調に歩を進める。聖地には、昼頃到着。入村歓迎の、爆竹花火が数発、乾いた破裂音をアンダルシアの青空に轟かせる。

各地の巡礼団がすでに、数多く先着していた。低い家並みが連なる村内では、民族衣装を着た女性の乗るウマが、砂深い道を闊歩する度に、砂埃が舞い上がった。その様は、一年に一度の祭りに沸く、メキシコかどこかの鄙びた村の趣。

トリアナ巡礼団は、真っ先にマリア聖堂へ向かった。聖堂前広場に着くと、隊列を崩し、マリア聖堂に向かって扇型に並び、無事の巡礼行を感謝する儀式を執り行った。それが終了すると、巡礼者たちは口々に、「ビバ！　ビルヘン・デル・ロシオ」と斉唱を繰り返した。

次は、ここまでの巡礼を共にした御輿車シンペカドスの格納にとりかかる。巡礼団が独自に聖地で所有する家屋敷、この祭礼のためだけに設置されてある御輿庫へと向かった。シンペカドスをそこへ無事納めると、聖地巡礼前半の行事をすべて終え、トリアナ巡礼団はひとまず解散。

私は、単独で村内を歩く。その間にも、アンダルシア各地の巡礼団が続々と入村し、歓迎の爆竹音が途切れなかった。いつしか、村内は巡礼の人々でごった返し、各地のお国訛りが飛び交った。

聖霊降臨祭を翌日に控え、巡礼者の過ごし方はマチマチである。大多数は、何はともあれマリア聖堂へ赴き、堂内に鎮座するマリア様への参拝を欠かさなかった。民族衣装の若い女性たちが、燭台にローソクの火をともしての厳かな礼拝。彼女らの炎を見つめる真摯な顔が印象的。

聖と俗は表裏一体。信仰心篤い女性がいるかと思えば、羽目を外す男どもがいた。彼らはバルで浴びる程に酒を飲み、酔っ払ってバカ騒ぎをした。これは聖地巡礼なのだろうか、と疑わしくなる。

敢えて、彼らを弁護するとすれば、当時のアンダルシアは農業が主体の社会、農村暮らしの農民にとって、巡礼が年に一度の楽しみを兼ねていたのだろう。

私もまた、祭りの浮かれた雰囲気に飲みこまれ、数十年経過した今でも、時折思い出しては赤面するような、恥ずかしい体験をした。

その場所は、巡礼者が集まる聖堂前広場とは、通路二つ分離れた、雑木林が茂る広場の片隅に設けられた仮設の小舞台。酔った若者数人に、「アミーゴ（友達）」とその付近で声を掛けられ、ボトルの赤ワインを半ば強引に飲まされた。生来のアルコールに弱い体質、止せばよいのに調子に乗って飲んでしまい、したたかに酔っぱらった。その挙句、小舞台へ引っ張り上げられ、セビヤナスを踊らされる羽目に陥る。悲しいかな音痴の性分、踊れるはずもなく、自己流の猿踊りになって、その場に集まった人々は爆笑の渦。

深夜零時。聖霊降臨祭は、幕が切って落とされる。打ち上げ花火が数発、夜空を明るく照らして、祝祭の開始を告げた。

聖堂前広場へ駆けつけると、司祭と女性信者数人が、マリア聖堂入口の扉の前に、ローソクを手にして横一列に並んでいた。やがて、観音扉が徐に開かれ、黄金色のマリア像を台座に戴く銀色天蓋の神輿が、信者の男たちに担がれて現れた。

「ビバ！　ビルヘン・デル・ロシオ」

大斉唱が、聖堂前広場のあちらこちらで繰り返された。男女の様々に重複した声が、津波の

聖霊降臨祭

ように押し寄せる。その歓喜に包まれた大音量は、無数の星が散りばめられた漆黒の空へ響き渡った。

神輿は、広場へ足を一歩踏み入れた途端、群衆の渦に巻き込まれた。アンダルシア各地の、老若男女無数の巡礼者は、この日のために一年間準備して、巡礼してきたのである。彼らは、神輿台座のマリア像へ我先に手を触れようとして、押し合い圧し合いをはじめる。神輿は、信仰心でもみくちゃにされ、前後左右に大きく揺さぶられる。真夜中の広場は、熱狂と興奮のるつぼと化した。男の野太い怒鳴り声と、女の甲高い声が、意味不明の騒めきとなって交錯した。それはまさに、カオスと呼べる程。

その混乱は、小一時間続いただろうか。神父らしき礼服姿の年長者が、どこからか現れ、神輿の前の高台に上がって、掌で群衆を制止する。そして、神輿の台座に安置されたマリア像へ向き直り、神のご加護に感謝の言葉を朗々と説いた。

マリア像の神輿は、広場の群衆から解放されると、今度はアンダルシア各地の巡礼団が建てた家へと向かい、シンペカドス格納の御輿庫への巡行をする。アンダルシア全土を巻き込んだこの聖地巡礼、参加した市町村は途方もない数にのぼるので、御輿庫もまた当然その数に匹敵するぐらいある。

金色のマリア様を戴く神輿が渡ってくる先々で、「ビバ！　ビルヘン・デル・ロシオ」の斉唱と歓喜の嵐が繰り返される。かくして、渡御はいつ果てるともなく続いた。

ところで、アンダルシアの大祭に相応しく、取材陣が世界各国から訪れていた。個人的に気になったのは、何番目かの村の家の屋根で、一人カメラを構える中年の女性写真家。彼女とは、その後スペイン北部の祭りで二、三度出会い、話す機会があった。生粋のマドリレーニャ（マドリッド生まれの女性）、全国各地の祭事を撮影して回って、祭りの本を出版する予定だと聞いた。

神輿は、東の空が白み始める頃になってやっと、全ての御輿庫への渡御を終えた。担ぎ手は、明らかに疲労困憊。肩で息をしながら、最後の力を振り絞って、聖堂広場へ急ぎ戻る。そして、マリア聖堂入口の開かれた観音扉の中へ、吸い込まれるように消えていった。

神輿巡行

かくして、聖霊降臨祭当日行事の幕が、完全に下ろされた。その頃には、太陽はすでに、軒の低い家並みの上へ昇って煌々と輝く。その輝きに急かされるかのように、アンダルシア各地の巡礼団は、一斉に帰り支度を始める。つい先ほどまでの、篤い信仰心は何だったのか。その変わり身の早さには、呆気にとられるばかりだ。

村外れの広大な草地では、張られていたテントが次々とたたまれた。自炊道具、食卓椅子などの一切合切が、トラックの荷台へ抛り込まれる。そして、ここまでの巡礼行を共にしたシンペカドスが、各々の御輿庫から引き出されて帰途につく。昼頃までには、ほとんどの巡礼団が聖地エル・ロシオを後にした。

アンダルシア西端ウエルバ県の東部に置き忘れられたかのような僻村はこうして、年に一度の行事の賑わいを終え、来年の祭礼が再び訪れるその日までの深い眠りについた。

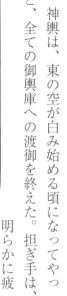

ヒマワリ幻影

アンダルシアの道は
夏を迎える一時期
黄一色に染まる

八〇年代、私はヒマワリ撮影のため、数年に亘って、コルドバ通いを続けた。

当時、旧市街に屹立するメスキータ前の、大河グアダルキビールに架かる石橋は、アンダルシアの幹線道路である国道四号線として使用されていた。ローマ時代創建の橋を渡ると、歴史的建造物群が立ち並ぶ旧市街とは違って、住宅地区が広がった。とは言え、その範囲は意外と狭く、車で二、三分も走れば、もう町外れで、市郊外の農村部。丘が幾重にも連なる丘陵地帯で、農家の白い建物が点在した。

五月末から六月初めにかけての一時期、その丘陵地が黄一色に染まった。アンダルシアの夏を象徴する花、ヒマワリが一斉に開花。はじめてその光景を目にした時、余りの広大さに、正直言葉がなかった。事前には、精々が丘の一つや二つだろうと考えていたのだから無理もない。

見上げれば、アンダルシアの雲一つない青空が限りなく広く展開。原色の黄と青の対比は、まさしく夏の明快さそのものに思えた。すっかり魅了され、アンダルシアのヒマワリ撮影が、毎年のこの季節の恒例行事となった。

撮影範囲は、初期のコルドバ周辺から近郊の村々へと年々広がった。その最大の要因は、開花時期が天候や地形の差異に左右されたことにある。極端な場合、丘を一つ越えただけで、花がまだツボミか、すでに満開かぐらいの、違いがあった。

拠点としたのは、白い村ラ・カルロータ郊外にあるオスタル。コルドバ市街地から南へ約四十キロ、アンダルシアの幹線道路である国道四号線沿いにあって、しかもマラガ方面へ分岐する国道にも近かった。車移動がとても便利で、北はグアダルキビール河岸から、南は白い村モンティーリャ辺りまでの広範囲をカバーできた。

　当時の撮影日誌を開くと、ある年のページには、以下の記述があった。


六月四日。窓のカーテンを開けると、東の空に棚引く雲が朝焼けに染まっていた。この分だと、今日も快晴間違いなし。階下のバルで簡単な朝食を済ませる。毎度お馴染みのメニューで、オリーブ・オイルを塗ったトーストに、カフェ・コン・レチェ。

　オスタルの専用駐車場は、夜明け前雄鶏の鳴き声が煩かった農家の隣にある。マドリッドでレンタルしたスペイン国産車セアトを運転、昨日ロケハンを済ませてあったケヤキの丘へ向

かった。三十分程で到着。予想通り、厚い雲が東側の丘から消え、太陽が煌々と輝き、薄く掃いた雲が天の忘れ物のように尾を引くのみ。

大型蛇腹カメラを三脚に取り付けた。撮影準備が万端調うと、時計の針はちょうど十時を回って、フィルムの色温度がベストの状態になる。最初は、赤子の頭程の大きさがある大輪のアップ写真。花弁が朝露に濡れ、陽光を瑞々しく受けとめた。

次いで、全景写真に移行。大輪は、ほとんどが一斉に東方向を向き、迫力さえ感じる。ちなみに、ヒマワリは太陽の動きに合わせて向きを変えると巷で言われるが、見知った範囲では迷信だと思う。

撮影場所を移動した。今度は、丘を下って、ヒマワリ畑を下方からあおぐ位置に替える。絶好のポイント発見。そこは、黄一色の丘が波打つように連なり、主屋、作業小屋など数棟の白壁家屋を持つ農家が、丘と丘の間の低地にポツンとあった。まさにおあつらえ向きの立地条件、上空の青、大輪の黄、そして建物の白、三色のバランスが絶妙であった。

撮影準備を進めていると、軽トラックが農家の庭先から出て、こちらへ向かってくる。目の前に止まると、この畑の主らしい、日焼けした農夫が、窓を開けて顔を出し、「どこにでもある花を撮って、何が面白いのかね」と呆れた口調。

「これが仕事なのですよ」

「へえ、驚いた。お金になるのかね」

農夫は、理解できないとばかりに肩をすくめてみせた。

無理はない。ヒマワリがどんなに綺麗に咲いていたとしても、農夫にとっては、日々見慣れた農作物の一つにすぎない。外国人のメシのタネになるとは、きっと考えが及ばないのだろう。それでも気の良いアンダルシア人、鷹揚に構え、撮影を許可してくれた。生活の場を荒らしているかのようで、気が少しばかり咎めた。

午後になると、アンダルシアの太陽は燃え盛り、まさに炎熱地獄。車のボンネットで目玉焼きができるという表現も、あながちオーバーではなかった。ヒマワリの大輪は、花弁の色つやが失われ、自らの重さに耐え兼ねたかのように、頭を前方へカクンと垂れた。

こうなっては、撮影続行が不可能。一旦宿へ戻って出直すことにする。定食の肉料理を食べた後、多くのアンダルシア人たちと同様、シエスタを取った。ここアンダルシアへ来るとつくづく思うのだが、この前時代的な風習は、今更ながら理にかなっている。日中の熱量は、それほど半端ないのだ。頭の芯がボーッとして、思考能力がまったく働かなくなる。

シエスタから目を覚ますと、太陽がだいぶ西へ傾いていた。再び車を運転、近場の丘へ向かった。ヒマワリの丘を貫く舗装道路は、熱気がアスファルトに滞留。しかも、西日が刺すように強烈で、気温以上の暑さを感じる。そのため、大輪は干涸びて、花弁があちこちの方向に捻じれていた。

順光のアップを諦め、逆光のロングショットに切り替える。ヒマワリの群落をファインダー画面にのぞくと、西日を背にした黒いシルエット群は、どこか頭をうなだれた兵士の姿、遠い昔の戦争映画で観た敗軍の退却シーンに似ていた。

今日はここまで。アスタ・マニャーナ（また、あした）。


私は、これほどの熱意を持っていたヒマワリ撮影を、プッツリと止めた。

その表向きの理由は、本業が軌道に乗り始め、撮影対象が世界へ広がって、曲がりなりにも忙しくなり、ヒマワリだけに関われなくなったこと。春から夏にかけての季節は、どこの国にあっても、絶好の撮影シーズンだった。それは無論、間違いのない事実である。しかし、個人的には、南仏プロヴァンスへの旅、大好きなオランダ人画家ゴッホの足跡をたどる旅が転機となった、と考えている。

　アルルに数日間滞在して、画家が絵の題材とした、はね橋、夜のカフェ、ローマ墓地アリスカン等々を巡った。その過程で出会った道が、ヒマワリ街道。画家が自傷事件を起こしたアルル市内から、入院したサン・レミ・ド・プロヴァンスの精神病院へいたるローカル道で、沿線のヒマワリが満開の時期を迎えていた。

　あの日、そのヒマワリ街道の道端で、大輪の花を撮影していた。農業用トラックが時折行き交い、小鳥がさえずるのみで、辺りは静まり返っていた。

　ふと、人の気配を背後に感じた。振り返ると、十数メートル離れた、糸杉が防風林として植えられた並木の端と、道路との間の木陰に、女が立っている。衣装は、この場に不似合いなほど派手な色、太腿を露わにしたミニスカートに、胸の膨らみを強調するタンクトップ。

　一台のトラックが止まった。中年男が運転席の窓から顔を出して、女に向かって二言三言。すると、女は、助手席側のドアへ回り込み、車に乗る。二人を乗せた車は、ヒマワリ街道を曲がって、農耕地の背後に連なる山の方角へ走り去る。その間、ものの数十秒程度であった。

　人間社会のありふれた一側面にすぎないと考え、ヒマワリの撮影に戻ったが、なぜか身が入らなかった。

　自然と、ゴッホの絵へ思いが及ぶ。絵画ヒマワリは、画家自身の不安定な精神性をストレートに投影したもの。そうでなければ、あの特異な色使いや歪みの表現などできやしない。画家は、華やかな花の裏側に何を感じ取ったのだろうか。

　アルル滞在時の画家は、年齢が三十代後半。当時の天才を引き合いに出すのは恐れ多いが、当時の私は同年代となって、遅ればせながら、夏の権化へ疑念を持ち、その潔さの奥底に潜む不安や焦燥を、強く意識し始めたのかも知れない。

　実際の話、このプロヴァンスの旅から帰った後年、アンダルシアのヒマワリが咲く夏を迎えても、撮影に出かける気持ちになれなかった。


　光陰矢の如し。私は、世間的に高齢者と呼ばれる年齢となった。近頃、ヒマワリが幾重にも連なる丘一面に咲く光景を、今一度無性に見たくなる。

　その気持ちが抑えられなくなって、航空券を手にスペインへ飛んだ。深夜の首都マドリッドに到着。翌朝、宿に大きな荷物を預け、ショルダーバッグ一つの身軽さでコルドバへ向かった。乗り物は、あの当時頻繁に利用した車ではなく、超特急列車のアヴェ。マドリッド主要駅アトーチャからコルドバ駅までの所要時間は、たったの二時間弱。今更ながら、鉄道の発達により、近くなったものである。

　コルドバ駅到着後、モダンな駅舎前発の市内バスで中心部の広場へ行き。そこで巡回バスに乗り換え、郊外へ向かった。

　バスはかなりの距離を走った。しかし、市街化が予想以上に進んでいて、宅地がなかなか途切れなくて、農地がいつまでも見当たらない。車窓の端にやっと、かすかに記憶のある坂道、丘の斜面に沿って弧線を描いてカーブする上り坂が見えた。

「ヒマワリの丘はこの辺だったはずだが」

　坂道を上りきって、車窓に額を押し付けると、見覚えのある球体が視界に飛び込んでくる。あれは確か、液体ガスの貯蔵タンク。当時、あのメタリックな球体は、農耕地のど真ん中にあって、いかにも場違いな印象を与えていた。

　バスを慌てて降車。タンクは現在、建売住宅団地が近くにまで迫って、別の意味で異物に見える。大型ショッピングセンターが、バス道路をはさんで、その団地の向かい側に建てられていた。車種様々な自家用車が、頻繁に、その大型店の駐車場へ出入りしている。

結局、この日、ヒマワリが咲く丘を見付け出せなかった。


翌日、郊外へ足を伸ばした。連絡バスは、大河グアダルキビール沿いの州道を西へと向かった。市街地を抜けてもしばらくは、通勤圏の村落が連綿と続き、昔ながらの農地と新興住宅地とが、交互に繰り返される。野菜畑に混じって、ヒマワリ畑があるにはあったが、住宅街の間の僅かな土地に、狭められた状態で栽培されていた。

コルドバの西約三十キロの、白い村アルモドバル・デル・リオに至ってやっと、本来の農村風景に近くなる。村の背後に聳える岩山に上って、周辺の農地を俯瞰した。異なる農作物の違

いによる壮大なパッチワーク模様は、以前のままに望むことができる。しかし、ヒマワリ畑の区画は縮小され、黄色の占める範囲がその分狭くなり、色彩の艶やかさが失われていた。

翌々日、コルドバ駅に隣接のバスターミナルから、路線バスでラ・カルロータへ向かった。そこは、ヒマワリ撮影へ頻繁に通っていた時代に、撮影拠点とした白い村。今回久しぶりに来てみると、以前の国道四号線は高速道路として整備され、沿線は様変わり、定宿にしていた国道沿いのオスタルはどこかへ移転していた。

仕方なく、村内に宿を取った。車の機動力がないので、ヒマワリの丘を探すのは難しいかなと覚悟したが、案ずるまでもなかった。村落裏側の高速道路に架かる陸橋を渡ると、目の前がヒマワリの丘で、その頂にのぼって周囲を眺望すると、以前にオスタルの窓から眺めたのと同じ丘が、幾重にも連なっていた。

しかし、何かが明らかに違っている。なるほど、ヒマワリの咲く丘は、各方向に散見されるのだが……。

その理由が分かった。丘陵地全体が、黄一色とまではいかないのだ。多くの丘では、様々な種類の農作物が栽培され、ヒマワリはその一つにすぎなかった。そんな丘を遠望すると、色彩が細分化されて、モザイク模様のように見えた。

それにしても、目を閉じると、瞼の裏に浮かぶのは、見渡す限りの丘一面に咲くヒマワリの大輪と、アンダルシアのどこまでも青い空である。「あれは、幻影だったのか」と、私は思わず口の中で叫んだ。

アルプハーラ山村紀行

アンダルシアの道は
シエラネバダ山脈南麓の
アルプハーラにも通じている

イベリア半島の最高峰ムルアセンを頂くシエラネバダ山脈の南麓、アルプハーラと呼ばれる地域は、少雨乾燥のイメージが強い地中海性気候のアンダルシア地方にあって、しかも海からそう遠く離れていないのに、まったく別の表情を持っている。

地中海の太陽は無論、ここでも強烈である。それでも、ここは高所にあるだけに、一日の気温差が激しく、朝晩が冷涼な空気に満たされる。木陰に入れば、真夏の日中でも爽快な山風が吹き抜けた。

私がはじめてアルプハーラを訪れたのは、およそ三十数年前になる。それ以来、スペイン取材旅行中、乾燥した気候に疲れを覚えた時など、湿潤な冷気を求めて、度々訪れた。滞在期間はそう長くないが、通算すると七、八度になるだろうか。そして今回、十数年振りの再訪になる。これまでと違う点は、レンタカーではなく、路線バスを利用したこと。

ここでは、今回の旅に加え、以前の旅の思い出を合わせて、アルプハーラ山村紀行として綴る。

グラナダ発の路線バスは、地中海へ抜ける国道三二三号線の、途中の峠付近で進路を変え、急角度のヘアピンカーブをジグザグに上った。その山道を上り切ると、峠付近でプロペラを激しく回していた風力発電基を、遥か下方に遠望する。

やがて、白い村ランハロンに到着。そこは、このアルプハーラの、西側の玄関口。フランス・アルプスの町エビアン同様、湧水の豊富さで知られる、いわばスペイン版名水の里。アンダルシアでは珍しく、山岳保養地の趣が強い。実際、州道から分岐して村内を貫くメインストリートは、プラタナス並木が両側に続き、湧水の噴出栓が辻ごとに置かれ、長期滞在の静養者向けホテルが数多く立ち並んでいた。

村落の前面は、州道を挟んで、オリーブの谷間となっている。これも豊かな湧水のおかげか、葉が繁茂して、その分緑が濃かった。尖った岩山が屹立し、その谷間でひときわ異彩を放った。頂にあるムーア人の古城は、木材の梁と斜交いでかろうじて支えられている。その有様に往時の栄華を偲ぶべくもないが、砂漠の民の支配がこの山奥にも及んでいた歴史を今に伝える。

路線バスは、その城跡を横目に通過。オリーブ畑が両側に続く、九十九折の州道を十キロほど東進すると、アルプハーラの交通の要衝オルヒバに着く。村落は、丘の急斜面をせり上がった高台に造られている。黒々とした高山が、その南面に聳える。人口はこの周辺では多い方で、県都グラナダとの間を結ぶ路線バスが、ここを中継地にして、アルプハーラ各方面へ連絡。

バスを降車。村内に宿を取って、散策した。カテドラルは、バス停横の坂道を上った左手、鐘楼がひと際高く聳える。それが立派だけに、その下方で軒を連ねる民家群は、どこかにわか仕立てに増築されたかのようで、家並みとしての統一性が薄かった。いかにも、人口が急激に増えた山中にある地方都市といった風情。

その家並みを抜けた先の中心広場には、アルプハーラ全体を紹介する観光案内所がある。そこで地図を貰って、広場から延びる上り坂のカジェを歩く。石畳の道が曲がりくねって延び、土地のお婆さん二人が、その道に面する民家玄関口の石段に腰を下ろしていた。その横をすり抜けていくと、やがて村落の最高地点に達する。いかにも歴史がありそうな白一色の祠が鎮座。補助輪付き自転車を漕ぐ少年が、得意げな表情で祠の周囲を何度も回っていた。

　祠前の展望が素晴らしかった。谷底方向へなだれを打って連なる家並み。その右手の斜面に、農地が広がる。長方体の石を積み上げた石垣が、農地を方形に区割りする。オリーブ、イチジク、オレンジなどの果樹が区画ごとに植えられ、平屋根箱型の農家が、それぞれの区画に一軒ずつ立ち、鄙びた山村であった往時を偲ばせる。


　翌朝、雑貨屋前の停留所でバスを待っていると、若い男が近付き、「タバコあるか」と指先でタバコを吸う仕草。長髪をビーズで巻き、着古したデニムのベストとパンツ姿。吸わない旨を告げると、若者は悪びれもせず列の後方へと進み、バス待ちの人に次々と同じ仕草を続ける。列の最後方に並ぶ村人らしきベレー帽の老人が、仕方がないとでも言いたげな顔をしながら箱を差し出すと、彼は素早く二、三本引き抜き、軽く頭を下げ立ち去った。

　昨日も、男と類似した身なりの若者数グループと出会った。教会前の石段で、バルのテラス席で、そして中心広場のベンチで、それぞれが別の集団。中心広場にいた数名の男女は、紙巻のクスリらしきものを次々と回し飲みしていた。この国の都会地では珍しくもない光景であるが、この山里ではやはり異様に映った。とは言え、非難するに当たらない。自分自身の経験と重ね合わせ、「若者は山中に桃源郷を夢見るものらしい」と思った。

　路線バスは半時間遅れで、アルプハーラ奥地へ向かった。村落西側を流れる極端に水量の少ない川、その架橋を渡って、徐々に高度を上げていく。道路はいつしか、オルヒバの村落を眼下に望み、山腹に切り開かれた山岳路の様相を呈した。白い山村集落が幾つか、山腹の急斜面に現れては消える。バスは、それらの村内へ入らず、道端の標識のないバス停に停車。その度に、数人の乗客が降車した。

前方の山が、次第に大きくなって、迫ってくる。道路は、その山とこちら側の山腹との間を切れ込んでカーブすると、谷間が奥へと延びる。渓流が崖下を流れ、緑樹がその両岸に繁茂した。やがて、その渓流が車窓のすぐ脇まで近づくと、大樹の枝葉が伸びて上空を隠した。

電力会社の鉄塔が、前方の樹間に見える。バスはそこで、渓流に架かる小さな橋を渡った。今度は、対岸の崖の、急峻な坂道をジグザグに上る。崖道を上り切ると、山腹の緩斜面に出て、視界が一気に開け、山村パンパネイラが眼前に現れた。

パンパネイラをはじめ、ブビオン、カピレイラを加えた三つの山村は、シエラネバダ山脈の雪を頂く稜線を背景に、その南斜面をほぼ等間隔に連なる。山国アルプハーラを象徴する雄大な風景で、ポスターや観光パンフレットなどで度々紹介された。実際、この風景に魅了され、画家や写真家が数多くこの地を訪れた。

私もまたその一人、季節を変えて来訪を繰返した。

三月、シエラネバダ山脈は、まだ冬の装いで、稜線が雪で真っ白に覆われている。三つの山村は、木々の芽吹きが始まって、一足早くアーモンドの花が咲き、まさに山里の春を謳歌。六月、シエラネバダ山脈は、早くも夏の到来を告げ、積乱雲がその山稜上空にモクモク湧き上がる。三つの山村は、木々の濃い緑の中で、白いチョークで描かれた三本線のように、陽光を眩しく反射。十月、シエラネバダ山脈は、極寒の冬を前にして、稜線が赤茶色の岩塊を剝き出しにする。三つの山村は、クリやクルミの大木が実をたわわにつけ、実りの秋を祝宴。

　ところで、三つの山村は、村落構造がほぼ同じ。民家は精々が三階建ての高さで、高い建物は教会の鐘楼ぐらい。その低い家並みが緩斜面に沿って、谷側方向へ下っていた。そして、ほぼすべての民家が、アルプハーラの伝統的建築法で造られた。その特徴は、冬山の厳しい風土に耐える重厚さにある。外壁は、山に豊富な岩塊を砕いて積み重ねた上に、漆喰で塗り固めてある。煙突は、石を積み漆喰で塗り固めた円筒形。鉄カサをかぶせた煙突群が、民家の屋根にニョキニョキと頭を突き出している光景は、アルプハーラ固有の様式美。

漆喰煙突

　山村は、地形の関係上、民家一軒の土地が狭い。そのため、家屋上階の角部屋やテラスが、道をまたいで造られ、いわばトンネル状の抜け道として有効利用される。昼でも薄暗く質素だが、上階の窓辺には、ゼラニウムの花鉢が飾られ、赤いバラがツルを絡ませ、ともすれば色彩が乏しくなりがちな山村のアクセントとなっていた。

トンネル状のカジェ

山村の湧水

　雪解け水が豊富なことは言うまでもない。村内を歩くと、石畳の路地が交差する四ツ辻ごとに蛇口が設置され、湧水を絶えず流し続ける音が路地に響き渡って、山中ならではの風情を醸し出した。

　私は今回、三つの山村の一番上にあって、路線バスの折り返し点でもある、カピレイラで降車。バス停近くの、馴染みのオスタルに荷物を置き、何はともあれ、山村生活のシンボリックな人物、牛飼い爺さんの家を目指した。

　村落の間をクネクネと曲がる石畳の坂道を下ると、見覚えのある家が突き当たりに現れた。

目印は、主屋に隣接する牛舎の、青ペンキで塗られた木製扉。ところが、近付くにつれ、異様な気配に気づく。主屋の天井が抜け落ち、欠けた瓦が床に散乱。目の前のなにもかもは、ここが住人不在の、廃屋であると語った。

　爺さんと特別親しかったわけではない。前回の訪問時、二言三言の言葉を交わした程度。それなのに、記憶に残ったのは、出会った際のエピソードにある。牛が放牧された村外れの牧草地、その牧歌的風景に誘われ、カメラのシャッターを押していた時、爺さんが現れ、牛の鼻輪に手綱を通し、帰り支度を始めた。

山村カピレイラ

「どうやって帰りを決めているのですか」

「山が動くのだよ」

爺さんはそう答え、谷を挟んで向かい合う山の中腹方向を顎の先で示した。

ポプラの巨木がその方角にあるのを肉眼で認め、「なるほど。山村生活の知恵というやつか」と納得した。日が山の背後へ落ちるにつれ、山影の先端が下りてきて、そのポプラの梢に届こうとしている。

廃屋を後にして、牧草地へ出向いた。案の定、肩幅広く短躯な爺さんの姿も、放牧された牛も見当たらない。それどころか、放牧地の様相が一変している。なだらかな斜面を覆っていた牧草が消え、盛土がされて、平坦に整地されていた。

宿へ戻ってオーナーに訊くと、爺さんは五年前に亡くなっていた。後継ぎがいないので、あの牧草地は売却され、大都市の不動産屋が近々、長期滞在者向けのリゾートマンションを建てる

シエラネバダと山村

予定だとか。

翌日、カピレイラの村落を離れ、崖沿いの散策路を上って、シエラネバダ山脈の最高峰ムルアセンを望む展望台へ向かった。

途中で、小学校高学年ぐらいの少年と出会った。二股に分かれた軸木にゴムを張った、手造りのパチンコを持ち、腰のベルトに仕留めた野鳥をくくり付けている。

「ムクドリだよ」

私が問う前に、少年は誇らしげな笑みを返した。外国人に物おじしない少年を誘って、展望台の岩場に並んで座った。

前方は、針葉樹が所々で林をつくる高原台地状の谷間で、シエラネバダ山脈の峰々がその両側に連なっている。

「あれがムルアセンかい」

ひと際尖った高峰を指差すと、少年は即座に首を振った。

「あの隣のヤツだよ」

それは、想像したのと違って、丸みを帯び、柔らかな表情に見える。以前、スイス・アルプス最高峰のモンブランを初めて目にした時の、違和感と似ていた。

「キミのふるさとの山だね」

「いや、違う。ボクは、セビーリャの生まれだもの。学校の休暇を利用して、父さんの別荘に来ているだけさ」

改めて、山の子にしては都会じみた印象の、小ざっぱりした服装を見返した。

その日の夜、夜景撮影のため、村の南端にあるバス道路脇の見晴らし台へ。外灯が以前に比べ数段明るくなっている。村内のほぼ真ん中にある教会、その鐘楼がまるでライトアップされたかのように、向かいの山の漆黒を背景に、輪郭をクッキリと浮かび上がらせる。昔の、裸電球の外灯がチラチラ光るだけの、暗い山村を知っているだけに、隔世の感があった。

私はふと、一枚の絵を思い浮かべる。

それは、宿泊するオスタルのオーナーの知人である日本人画家が描いた絵で、宿の階段脇の壁に飾られていた。夜空に浮かぶ満月とその柔らかな月光に照らされたアルプハーラの伝統家屋がモチーフ。色彩を極限にまで抑えたまるで静止画、日本人ならではの感性に思えた。画家自身は数年前に亡くなった。直接の面識はないが、アルプハーラに長期滞在し作品造りをしていたことは、共通の知己より聞いていた。

「画家が現在のこの光景を目にしたら、あの絵を描けただろうか」

翌朝、宿に荷物を置くと、カメラ一つ肩に掛けただけの軽装で、二つ目の山村ブビオンへバス道路を歩いて下った。

山腹を切り開いた道路は、道幅が結構広かった。左手は、雑多の木々が山の斜面に沿って茂る森、樹木が一部で伐採され農地として開墾、クリの木が植えられていた。アルプハーラでは珍しい果実、リンゴの農園もあった。右手は、比較的緩やかな傾斜地と断崖が交互に繰り返す谷間。傾斜地には、クリの巨木が根を張って毬栗をたわわに付ける。それが途切れると、幾分急峻な断崖に代わって、ガードレイル代わりの低木が道端に植えられていた。

ラバをひく村民

崖下をのぞき込むと、風雨で浸食された断層の小さな岩棚が、飛び石のようにいくつか残されていた。村内では見ることのなかったヤギの群れが、岩棚の僅かな草を食んでいる。首にかけた鈴が長閑に聞こえてくる。家畜が村外ではまだこうして飼われていることに、昔の山村生活の一端を思い浮かべ、幾分安堵した。

ノンビリ歩いて二、三十分で山村ブビオン。

村の辻で日向ぼっこ

到着時、村は本格的な朝を迎えていた。朝日が左手の尾根の上に昇って、村落の先端近くにある教会の鐘楼が、真っ先に陽光を浴びて白く輝き、日当たりの範囲が家並みを急速に駆け上がる。村全体が白一色となるのに、時間はそうかからなかった。

冷涼な空気に導かれて村内を歩くと、朝の息吹がそこかしこに感じられる。村落外周の道沿い、土塀に囲まれた庭園付きの家では、姿の見えない野鳥の大群が、大木の濃い葉叢でうるさく鳴き交わし合う。その隣家の庭では、母と娘が長い棒を使って、クリの実を叩き落としていた。

四ツ辻まで下ると、高齢の村人数人が日溜まりで立ち話に夢中。彼らの後ろを通りかかる際に朝の挨拶をすると、バスク帽を被る痩せた老人が、話を中断して軽く手をあげてこたえる。

更に下ると、教会前広場にでた。教会の白壁脇に置かれたベンチ、猫背ぎみの老婦人が腰掛け、毛糸編みの棒を手慣れた動作で動かしている。視線が合い、軽く会釈し合った。

教会の裏手は村落の端で、深い森が谷底方向へ落ち込んでいる。その森の手前にある僅かばかりの平坦地には、家庭菜園程度の畑が作られ、数種類の葉物野菜が栽培されていた。農作業小屋なのか、平板を打ち付けた簡素な木造家屋が、畑の中にポツンと一軒あった。

そこまで下りると、ピンク色のセーターを着たブロンド髪の女性が、小屋の板壁に背をもたせ掛けて座っていた。スケッチブックを開いて、色鉛筆を動かしている。

「アナタはジャパニーズかしら」

私がスケッチをのぞき込むと、女性は母国語ではない国の英語で訊く。そうだと答えると、彼女は唐突に、カピレイラの宿に飾られた絵の作者、あの日本人画家の名を出した。

ベルリンの絵画展で、画家の絵を観て感動したという。会社の長期休暇を使って、ここに来ていた。絵についてはあくまでも趣味程度。今は長期滞在者向けアパートに下宿、自炊生活をしている。

「アルプハーラはなんて素晴らしいところでしょう。アナタの国の画家が、題材としたのは分かる気がする」

「そうですね。しかし、画家が描いたのはかなりの昔、その時代とはだいぶ変わったと思うが」

「そうかしら。はじめてここへ来たので、何もかもが新鮮に見えるけど」

彼女は同意できない表情をする。

反論するのをやめ、このドイツ女性は山村風生活の疑似体験をしているにすぎない、と心中で思った。勿論、人それぞれの山村体験があって構わないが……。

女性と別れ、村落南側の坂道を上った。右手は、一段低くなった草原で見晴らしが良く、白い村オルヒバの前に聳えるコニーデ型の高山が遥か彼方、紫外線のモヤにかすんで見える。左手は、民家の白壁とベランダ、ツルバラが赤い花をにぎやかに咲かせる。

坂道を上り切った先、バス道路のすぐ手前に、共同洗濯場があった。それは、久しく使用されていないらしく、コンクリート製の洗濯槽の縁が、緑色のコケで覆われていた。いつ頃まで、現役であったのだろうか。湧水が蛇口から勢いよく流れ続ける水音を聞いていると、村女たちが洗濯しながら互いに日頃の憂さを晴らしていた、往時の賑わいが想像される。

三つ目の山村パンパネイラへ向かって歩く。バス道路脇の植物相は、高度が少し下がった程度なのに、明らかに違った。山側は、岩が剝き出しの急斜面、低木のカシが群落をつくっている。谷側は、様々な緑樹が繁茂、滝音がその林間から聞こえてくる。

道路は、大きく湾曲を繰り返した。その湾曲部を曲がる度、上方の二つの山村、今朝出発したカピレイラと、今さっき通過したブビオンが、シエラネバダの山稜を背景に、視線の彼方に現れては消えた。やがて、アルプハーラ東部の山村トレヴェレス方面へ向かう道との、分岐路にさしかかった。

パンパネイラは、その分岐路を真っ直ぐ下った先にある。村の入口は、小さな矩形の広場。その左手にある不等辺四角形の建物は、三十数年前の昔、初めてアルプハーラを訪れた際に泊まったオスタルがあったところ。現在、あの当時の面影はない。一階は土産物屋に替わって、いかにも山村風の民芸調織物やツル籠の類が、広場側へはみ出して並べられていた。

その広場の奥に、短めのカジェがつながる。そこは、大木の枝葉が片側から覆いかぶさるように広がって、薄暗かった。レリーフの刻まれた噴水盤が、昔の姿のままに、その暗所にあった。飲料不可の看板が、噴水口にかかる。あの当時の子らは、ここで競って飲んでいたのだが。噴水盤の向かい側は村の教会、上の二つの山村のそれとは違って、茶褐色の外壁を持つ。

この教会周辺は、思い出深い一画。初期のスペイン取材旅行中、乾燥した風土にほとほと疲れ、精神的に参ってしまい、ここへ緊急避難した。滞在は、二、三泊程度の短期間。その間、何をするでもなく、ただひたすら教会前広場のベンチに腰掛けて過ごした。湿気を含んだ山の冷涼な空気の中、遊び回る子らの甲高い声を聞いているだけで、自然と心が癒された。

現在、教会前広場は一変した。広場の周囲に店を構えるバル・レストランが、テーブルとイスを並べ、立錐の余地がないほどに広場を占領している。目に付くのは、西欧やアメリカからの観光客ばかりである。村人らしき姿が、ほとんど見当たらない。漢字の四字熟語をプリントしたTシャツ姿のカマレロ（給仕人）に訊くと、大型観光バスの発着できる駐車場が整備されてからこのかた、コスタ・デル・ソルのリゾートに宿泊の欧米人が、アンダルシアの山村を手軽に楽しめるとして人気で、日帰りの団体ツアーで頻繁に訪れてくるそうだ。

昔の山村の面影を捜して、教会前広場から裏路地へと入った。そこは、雨水を下方へ流す溝が中央に刻まれる石畳の道。両側に連なる家並みは、昔のままのようにも見えるが……。

どことなく違和感を覚える。なるほど、大多数があのアルプハーラ伝統の建築様式、漆喰壁と特徴的な漆喰煙突群は健在であった。しかし、冬の厳しさに長年耐えた建物が持っているはずの、重厚さが、まったく感じられない。

それはどうやら、多くの建物が改装されて間がないことにあるらしい。事実、外壁は白ペンキで塗り直され、汚れ一つなかった。しかも、木製の入口扉と窓枠は、同色のパステルカラーに統一されていた。童話に出てくるおとぎの国の家のように、完璧な綺麗さだった。

更に言えば、人の住む気配が家内から感じられない。現在、バカンスシーズンをはずれているので、空き家なのだろうか。貸間と書かれた短冊が、家々の窓ガラスに貼られ、それだけがやけに目立った。

今回は、三泊四日程度の短い旅。それでもって、総括するのはおこがましいが、私がかつて慣れ親しんだアルプハーラは、紛れもなく変貌した。

その根底にあるのは、アンダルシアの農村部に共通する課題。住民の高齢化が急速に進み、農業の衰退に拍車がかかった。しかも、若者は仕事を求めて、都市部へ流出。ここアルプハーラは、山奥にあるだけに、事態がさらに深刻。牛飼い爺さんの例をあげるまでもなく、空き家が年々増加傾向にある。

そうなると、利に目ざとい大都市の不動産屋が、空き家を長期滞在者向け住宅に改装して、販売あるいは賃貸。かくして、山村風生活に憧れる都市住民や外国人の移住者が増えることになる。その結果、全国チェーンのスーパーが村内の一画に店を構え、新規住民が都市部から移住して諸々の商いを始める。実際、私が泊まるカピレイラの宿近くのパン屋は、グラナダから移住した若夫婦が開いた店。長期滞在者や観光客に人気の店らしく、長い行列ができ、小学校低学年の娘二人が、客の買ったパンの袋詰めを手伝っていた。

将来、アルプハーラを再訪する日があるとしたら、ここはどう変わっているだろうか。それを知りたくもある反面、それを懼れる気持ちがある。ただし、今でもこれだけは断言できる気がする。

「アルプハーラの山村に固有の臭気、家畜の糞尿と干し草が発酵したような、あの臭いを嗅ぐことはもうあるまい」と。

ジブラルタル海峡への道

アンダルシアの道は、
時代の変遷を見つめて
ジブラルタル海峡へ

コロンブスが新大陸発見、マゼランが世界航路開拓、そしてピサロが、コルテスが南米の先住民を征服と、多数の船乗りや冒険家が、野心を持って船出した大西洋岸。その海岸沿いを経て、アフリカ大陸北西部の砂漠地帯を支配したイスラム教徒が、怒濤のように攻め込み、なだれを打って逃散したジブラルタル海峡へいたる。このアンダルシアの道は、スペインの興隆と衰退、そして異教徒の支配と国土奪還、歴史の変遷を身近に感じるルートである。

アンダルシア西端ウエルバ県の大西洋岸にある白い町パロス・デ・ラ・フロンテーラの港から、ある冒険家が大海原へ船出した。イタリア北部の港町ジェノヴァ出身の男は、航路開拓の野望を抱き、策略家だの山師だのと中傷されながらも、パトロンの支援を辛抱強く待ち続け、やがて時の権力者イサベル女王の援助を得て、帆船サンタ・マリア号で出航。首尾は周知のごとく、新大陸アメリカの発見につながった。それを成し遂げた男の名は、クリストファー・コロンブス。

大河グアダルキビールは、ウエルバとカディスの県境を悠々と流れ、大西洋へと流れ出る。河口の町サンルーカル・デ・バラメダの河岸から、毎夕繰り返される対岸ドニャーナの地平に沈む落日を眺めていると、かの冒険家もまた、出航前にこの地へ足を踏み入れ、西廻り航路への夢を膨らませたに違いない、と思えてくる。

この河口域から、大西洋岸沿いをはしる州道を回り込み、海軍基地のある町ロタを経由し、五十キロほど南下すると、大西洋に突き出た半島の町カディスに着く。

私は、アンダルシアの道の最終章、ジブラルタル海峡への道の出発地として、ここカディスを選んだ。

現在、超特急列車に乗って首都マドリッドを朝発つと、その日の午後に到着でき、近くなったものである。思い返せば、若き時代のスペインの祭り行脚の旅は、この町カディスのカーナバルから始まったといえる。あの当時、カディスへ至る道程は、列車にせよ車にせよ余りにも遠く、当地で数日の滞在を余儀なくされた。

カディス駅に降り立つと、半島先端部の旧市街を目指した。カテドラル広場から延びる細いカジェを抜けた先には、中央市場があり、魚介類のフライを名物とするバルが軒を並べる。そのカジェで、ランニングシャツ姿の若い男と出会った。二の腕が筋骨隆々、カジキマグロ一本載せた台車を押していた。後をついていくと、一軒のレストラン前で、彼は巨大魚を軽々と肩に担ぎ上げ店内へ消えた。

男の姿に触発されたのか、二人の野心家の名が脳裏に思い浮かぶ。インカ帝国を滅ぼしたフランシスコ・ピサロと、アステカを滅亡させたエルナン・コルテスの二人。彼らは、この国ではコンキスタドール（征服者）として崇拝され、南米では暴虐残忍な侵略者として蔑視される。立場が違えば、評価が正反対になるのはものの道理。おそらく、両方が真実なのだろう。

かつて、二人の生まれ故郷を訪ねた。彼らはくしくも、この国ではアンダルシアと並ぶ後進地域とされる、エストレマドゥーラ地方の出身。そこは、隣国ポルトガルと国境を接するスペインの裏庭で、こんもりと茂るウバメガシの木が、無人の原野に卒塔婆のごとく立ち尽くしている地方。勇壮な騎馬像が、各々の出生した村の中心広場に立って、偉大な武勇を誇示。しかし、淋しい原野を見た後では、村民の願いとは裏腹に、騎馬像が歴史の負の部分を背負わされている気がしてならなかった。

狭いカジェを通り抜け、半島の端まで歩く。大西洋上の岩礁に造られたカディス要塞上空に、黒雲がにわかに湧き、アッという間に空全体を覆った。それに伴い、強風が海上を波立たせ、雲の形を様々に変える。雲に切れ間がのぞき、陽光が一筋、スポットライトのように暗い海面を照らした。

これは、特異な自然気象なのか、それとも洋上ではままあることなのか。冒険家が南米へ船出した大航海時代、吉凶のどちらを占うものであっただろうか。

強風を避け、その突端部を南側へ回り込むと、遊歩道が海岸沿いに弧を描いて、遥か遠くに見える新市街方向にまで伸長。この町のシンボル、大聖堂の黄金色のドームが、遊歩道の傍らに聳え立つ。

大聖堂前の海岸では、マドラス帽を被る老人が、遊歩道の堤防から手を伸ばし、テトラポットを棲家とする野良ネコ十数匹に、缶詰の魚肉エサをやっている。その様子を写真撮影していると、老人はチラッとこちらを見て、ポツリと一言。

「ハポネス（日本人）？」

大聖堂と海（カディス）

私が頷くと、老人は、遠洋航海の元船員だったと遠くを見るような目をして、「ヨコハマ、コウベ、ナガサキ」と、寄港地の名を指折り数えた。

カモメの群れが、風に煽られながら、ネコのエサを狙って上空を羽ばたく。老人は、手に持ったステッキを振り回し、憎らしげにカモメを追い払った。遠洋航海で、海鳥と慣れ親しんでいただろうに。大き目のジャンパーを着た小柄な背中が、孤独の二文字を浮かび上がらせる。

翌朝、カディス鉄道駅に隣接するバスターミナルで路線バスに乗り、ジブラルタル海峡へ向け出発。

バスは、大西洋とカディス湾に挟まれた狭隘な陸地を抜け、半島付け根の町サンフェルナンドを過ぎる。汽水湿地帯の荒涼とした風景、植物の生えていない無数の浮島が、車窓を流れる。一見すると、不毛に思える湿地だが、塩田の白い山が幾つか遠望され、人々の営みがあることを教えた。その湿地帯を通過して間もなく、比較的大きな白い町チクラーナ・デ・ラ・フロンテーラに着く。新興の町らしく、大型ショッピングセンターが道路脇にあった。

その町を抜けると、バスはいよいよ丘が幾重にも連なる内陸部へと入った。この道路は、車で何度か往来したことがある、国道三四〇号線。あの時代、カディスからジブラルタル海峡沿岸を経て、地中海側のコスタ・デル・ソル（太陽海岸）へとつながる唯一の国道だった。現在、高速道路が一部で開通、この国道と相互乗り入れとなっている。バスは、高速道路と国道三四〇号線、そして大西洋沿岸の村々をつなぐローカル道の三者を交互に乗り降りしながら、ジブラルタル海峡を目指していく。

大西洋沿岸部は、海の土砂が荒波に運ばれ、途方もなく長い年月を経て堆積してできた砂地。そのため、古来より農地に利用されることがなく、人口過疎地域として知られた。防風林として植えられたマツが、海沿いに延々と続き、どこか寂寞とした風景。近年、リゾート開発の波が遅ればせながら押し寄せ、ビーチが整備され、コスタ・デル・ソルの賑わいに飽きた人々の、隠れ家的なビーチリゾートとして人気だと聞く。とはいえ、それはごく一部に過ぎない。やはり、ここは辺境の地の表現がピッタリくる。米国開拓時代のフロンティア、カリフォルニアを想起させる。

実際、船乗りの多くがこの大西洋岸から新大陸へ船出。それは遠い時代の歴史ではあるが、この辺境では今もなお、夢と欲望が時として渦巻く。その実例と言えるかどうか、真っ先に思い浮かぶのは、沿岸に連綿とつながる小さな漁村の一つ、白い村バルバーテでの見聞。

数十年前、バルバーテはクロマグロ漁で栄え、好景気に沸いていた。村内のバルでは、日本人バイヤーが札束を懐にして買い付けに奔走しているだの、マグロ御殿が各所に建っているだの、とまことしやかに噂された。その真偽は定かでないが、夜間には、各種の色に装飾された豆電球が妖しげに点滅、海の男たちを誘惑していたのは紛れもない事実。

ともあれ、バスは大西洋岸を抜け出る。漁村コニル・デ・ラ・フロンテーラを過ぎて、再びジブラルタル海峡への道、国道三四〇号線へと戻った。間もなく、巨大な山が前方に立ちはだかる。山頂が緩やかなカーブを描く、ドーム型の岩山。その麓のバス停で下車。国道から分岐する急勾配の坂道を、二キロほど歩いて登ると、使われなくなって久しい風車数基の丘と、それに連なる傾斜地を埋め尽くした白い家並みが、行く手に現れた。

白い村ベヘール・デ・ラ・フロンテーラである。前回訪れたのは随分昔、その後長い間再訪を望みながらも、すぐ近くまで来て、立ち寄る機会は幾度かあったが、日程の都合でそれを逃していた。

前回時の印象はことのほか強烈だった。文化的にも地理的にも中央から遠く離れ、いわば最果ての僻地。それにも関わらず、民家の多くが、アイアンレースのベランダや木組みの格子窓を備え、貴族の館であるかのような、歴史の重みを感じさせた。

ベヘール・デ・ラ・フロンテーラの町角

観光客相手のレストランが並ぶ展望広場から望むと、右手は間近に大西洋の海原が広がって、ジブラルタル海峡はすぐ目と鼻の先にある。左手は山並みが連なって、その先をたどると、ジブラルタル海峡は至近距離。この立地条件がまさしく、民族攻防の要害地だった歴史を如実に語る。今回、改めてそのことを知って、前回時の疑問に納得がいく。

村内を歩くと、レコンキスタ（国土回復運動）後の近現代、イスラム教徒支配時代の遺構である城壁や城門は大方が取り壊され、一部がその土台や石垣を再利用しての家造りがなされていた。

夜、宿近くのバルで、この村在住でモロッコ国籍の、輸入雑貨を扱う店の経営者と会話する機会があった。

そのバルは村の社交場で、村人の出入りが頻繁だった。彼は、隣り合ったカウンター席で、異国人の私に興味を持ち話しかけてきたが、会話中もどこか落ち着きがなかった。店のドアを絶えず窺い、新たな村人が来店する度、こちらの会話を中断、挨拶を交わし合った。通常の振る舞いなのであろうが、傍目には気遣いが過剰に思えた。

　案の定、翌朝麓のバス停まで自家用車で送ってくれた車中、彼は異国の小村で暮らす難しさを愚痴った。私は、生半可な相槌を打ちながら、頭の中では全く別の事を考える。これは、形を変えた現代の民族軋轢ではないかと。


　路線バスは、イベリア半島最南端へと向かった。車窓は、風が強い岬特有の風景。低木のマツやカシが多くなって、しかも枝木を横へなびかせる。時折、ヤシの木が大きく葉を広げ、南国を実感。左手は、茶褐色の岩山が連なる。その手前には、カルシウム分を多く含む土壌を利用した放牧地が広がり、ウシの群れが草を食む。しかし、山崩れで散らばった岩塊が牧草地の方々に転がって、のどかな牧歌的風景と呼ぶには程遠かった。

　いつしか、岩山が車窓に近付き、荒々しい岩肌を間近に見る。と同時に、夥しい数の風力発電基が、山腹に林立する光景を目の当たりにする。それは、アンダルシアの陽光を浴びてメタリックに煌めき、この場に異質な空間を表出した。それに見惚れていると、右手の方角に、逆光を浴びてキラキラ輝く海面が突如出現。待望の、ジブラルタル海峡である。


　白い町タリファは、ジブラルタル海峡と、風力発電基群が下方へと延びる山裾とに挟まれた一画にある。ターミナルでバスを降車。前回来たのはかなりの昔、様相がだいぶ変わっている。新興住宅地が、海岸沿いを西へと延び、市域が格段に拡大。

　それでも、旧市街は城壁に囲まれた以前の姿のまま。繁華な通りに面した城門をくぐると、城内は思いのほか小さく感じられた。港へ向かう南北方向のカジェは、やや下り坂。その狭くて薄暗い坂道は、薄墨色に褪せた白壁の民家が軒を連ね、どこか古色蒼然とした雰囲気。若いころに訪ねたアフリカ北西部マグレブのカスバを追憶させる。民族衣装ジュラバを着た男性や、ヘジャブを頭に巻いた女性が、この場を歩いていたとしても、たぶん何らの違和感も抱かないであろう。

港湾地区へでた。ムーア人の古城が一部石積みの崩れた状態で屹立、その足元を起点にしたプロムナードが、ヨットハーバーを囲んで弧線状に延びる。展望台広場があり、観光客の姿が多かった。観光案内所で訊くと、高速艇がモロッコのタンジェとの間を一日数本運行している関係で、気軽にアフリカ日帰り観光ができると人気。それに加え、近年大西洋と地中海との間を回遊するシャチやクジラのウオッチングが好評で、欧米人観光客が大勢訪れてくるとか。

観光客の人込みを避け、港の岸壁へ。ヨットハーバーの桟橋を歩くと、前回の訪問時の記憶が蘇る。

あの朝、暗い内に早起き、日の出撮影のため桟橋に来た。三脚を立て、カメラ撮影の準備を始めていると、黒塗りのパトカーがすぐさま接近し、警官二人にパスポートチェックを受けた。勿論、何事もなく済んだのだが、日の出の瞬間のシャッターチャンスを逃した腹立たしさと共に、ここが国境の海なのだと実感。

過去のその記憶を胸に、プロムナードへ戻った。その先端が、波除けテトラポットで両脇を固められた道へと続く。右手に白い砂浜、左手に湾内を眺めながらその道を進むと、昔は陸から切り離され沖に浮かぶ要塞島であったが、現在は陸続きのタリファ島に至る。

ジブラルタル海峡の日の出

イベリア半島最南端の灯台が、防塁に囲われたその島の中で、ひと際高く聳え立った。

灯台真下の海は、ジブラルタル海峡である。今日は風が凪いで、海峡の海面は波穏やかに静まっている。そのためか、海上は紫外線のモヤが濃く、紗のカーテンに覆われている。大型タンカーの長い船体が、薄灰色の船影となって、左の地中海側から右の大西洋側へ、緩慢に航行。

その船影の向こう側は、モヤにかすむアフリカ大陸。異境の大陸は目と鼻の距離、海峡の幅が最短十四キロ程しかない。薄紫色の山影が、左手方向に見える。

「アトラス山脈であろうか」

サハラ砂漠はあの山脈の裏側に控えているはずである。その砂漠を頭の中で想像すると、ごく自然に、古の砂漠の民に思いが及んだ。

西暦七一一年、彼ら砂漠の民は、怒濤の勢いでこの海峡を渡った。そして、瞬く間にアンダルシア全土を席捲、およそ七百年の長きに亘って支配を続けた。彼らは、高度な文明文化を伝え、現在にいたる歴史遺産の数々を遺し、このアンダルシアの地に多大な影響を及ぼした。

しかし、人類の長い歴史を考えれば、それもまた一夜の夢でしかなかった。一四九二年のグラナダ王国滅亡をもって、彼ら砂漠の民は、それこそ砂漠の蜃気楼のように、同じこの海峡から退散した。


このアンダルシアの道『ジブラルタル海峡への道』の最終目的地、アルヘシーラスへと、バスは向かった。

車窓の右手は、ジブラルタル海峡がどこまでも青く広がり、空との境の水平線がキラキラ光る。左手は、風力発電基の風車群が丘一面に連なり、プロペラが反射光で煌めく。二つの相反する風景は、今日のアンダルシアを象徴。

断崖絶壁の間際を走って、進路をやや北へ取ると、やがて前方に英領ジブラルタルの山塊が

ジブラルタル海峡

見え、そして間もなく、この付近の最大都市アルヘシーラスに到着。

そこは、昔も今もアフリカ大陸への玄関口であり、海運盛んな港湾都市である。近年、好立地を利用した産業都市の側面が強くなって、石油コンビナートの煙突が炎を上げ続ける。

とは言え、降車したバスターミナルと大通り一つ隔てた先には、昔ながらの旧市街地区が残る。そこを歩くと、アラブ料理店のスパイス臭が強烈に鼻をつき、モロッコ旅行を斡旋する旅行代理店が軒を並べ、アンダルシアの他の港町にはない異国情緒が感じられた。旧市街に不似合いなモダン建築、ドームの屋根を持つ中央市場は、多少古びたが今も健在で、ヘジャブを頭に巻いたアラブ女性が行き交い、ハラル（最近日本でもはやっているイスラム教にのっとった料理及び食材。ブタ肉は御法度）の肉屋が店を開いていた。

私がこの町アルヘシーラスに初めて来たのは、

四十数年前。当時の感想は、他のアンダルシアの町と比べると、やはり異質であった。中でも異国を強く意識させられたのは、アラブ系の若者たちが、昼日中から四ツ辻にたむろし、通行人に向かって好奇の視線を投げかける、日常的な光景を目にした時であった。勿論、彼らには悪気がないのだが、視線には慣れが必要だった。

その後、来訪の回数を重ねるにつれ、この町の独特な雰囲気を好きになる。思い返すと、人生のターニングポイントとまではいかないまでも、アルヘシーラスとは折に触れ、何らかの因縁を持った。

最初の渡西時にその日暮らしの生活に見切りをつけ、帰国を決意し、その最終地として選んだ。再渡西後、長期滞在を終え、その記念にとここからアフリカ大陸へフェリーで渡った。数年を経て、本業が軌道に乗り始め、仕事でコスタ・デル・ソルを頻繁に往来した際、折あるごとに足を伸ばした。そして今回、アンダルシアの道を巡る旅、『ジブラルタル海峡への道』の最終目的地とした。

モロッコ料理のレストランで食事していると、大通りを隔てた港湾地区の方角から、大型船舶入港の汽笛が鳴った。食事を途中で切り上げ、桟橋へ急ぐ。

アフリカ大陸のスペイン領セウタ発の大型フェリーが、今まさに接岸。大勢の乗客が、下船を待ちきれずに甲板に溢れ返っている。彼らの人種国籍は様々、スペイン及び西欧の白人にまじって、アラブ系と思われる男女がかなりの数、そしてアフリカ系黒人がチラホラ含まれる。旅を終えての帰国か、居住地がこちらにあっての里帰りか、それとも仕事を求めての出稼ぎか。

船が接岸すると、乗客は慌ただしく下船。なぜか、彼らの行方が気になって、旅客ターミナルビルの方へ移動。フェニックス並木の一本の木陰に立って、玄関口の自動ドアが開閉する度に、人々が次々と吐き出される様子を眺めた。

白人の多くは、アフリカ観光のグループが含まれているらしく、迎えの大型バスへ乗り込んだ。アラブ系の男女は、ヨーロッパ側に生活の本拠があるのか、大荷物を幾つも抱えていた。彼らは、慌てることもなく、タクシーや迎えの車に乗って、それぞれの目的地へと去った。

国境に付き物の、不測の騒動はなかった。目の前の全てが、淡々と進行する。何を期待していたのだろうか、と心の中で自問自答した。

ドアの開閉が間遠になる。もう終わりかと帰りかけると、黒人青年二人連れが、古びたバッグを各々一つずつ持って、玄関前に出てきた。彼らは、落ち着かない表情で、周囲をキョロキョロ見回している。どうやら初めて異国の地を踏んだらしい。

その様子を眺めながら、若き時代に、西欧へ初めて来訪した自分自身の姿と重ね合わせる。

四十数年前の昔。南回りの航空便で、ロンドンのヒースロー空港に初めて降り立った。期待と不安が入り混じった複雑な感情。イミグレーションでの入国審査、金髪の女性係官の高圧的な尋問に気圧された。滞在目的を問われたとき、観光ビザでの入国、短期ではなく長期滞在を考えていたので、緊張のあまり、しどろもどろの受け答えに終始してしまった。それでも、何とか入国できたのだが……。

中年の白人男の運転するバンが、ロータリーを回って近付き、黒人青年二人の前に停車した。雇い主なのか、それとも手配師なのか。運転の男は、彼らに二言三言の声を掛けた。二人は、にわかに表情をやわらげ、手持ちのバッグをトランクに入れ、後部座席に相次いで乗った。

私は、車のテールランプが消えて見えなくなるまで行方を見送る。そして、思った。

「彼らは、アンダルシアの道の、次なる目撃者にちがいない」

エピローグ

ここ数年、私はアンダルシアの白い村や町の再訪を繰り返している。当然と言えば当然だが、ここアンダルシア地方は、初めて訪ねた七〇年代末以来の、この数十年の間に、大きく変貌した。それゆえ、近年の旅では、昔の記憶を呼び起こすと共に、新たな発見をする。本文の、『ヒマワリ幻影』や『アルプハーラ山村紀行』で述べたとおり、時代の変化に戸惑いを覚えることは多々あったが、それでも、かつてのアンダルシアの道を明瞭に思い起こさせるには十分だった。

ここでは、アンダルシアの道の本文では書ききれなかった、近年の旅を追記。

ガルシア・ロルカの家（グラナダ）

スペイン人の名誉のために、まず取り上げなくてはならないのは、詩人ガルシア・ロルカ終焉の地、ビスナール渓谷について。

本文の『ベーガ彷徨』では、長い間放置された墓標にガッカリした旨書いた。しかし今回来て見ると、そこは、スペイン内戦の犠牲者を悼む慰霊公園として整備されていた。木道をたどって森の奥へ進むと、民主派の人々の墓碑銘が刻まれた大理石の石碑が、木漏れ日に白く浮かび上がった。そして、詩人の石碑が、楕円形の窪地の中に置かれ、野の花が供花されていた。

今から思うと、あの前回時、独裁政治が終わって民主国家に生まれ変わってまだ間がなく、この国は社会インフラに金をかける財政的余裕がなかったのだ。

車社会の現在、前時代の農作業風景は消えた。それを強く実感したのは、『海への道』の終着地サロブレーニャ。

どこか懐かしさを覚える家族総出のサトウキビ収穫作業。あの光景は、もう再び見ることが叶わない。甘蔗糖産業が他国との価格競争に敗れ、村落周辺のサトウキビ畑や製糖工場の煙突が姿を消した。それはまあ、時代の流れで止むを得ないことでもある。しかし、最も残念に思うのは、農村風景の象徴的存在である使役動物のロバが、サトウキビ畑の消滅と相前後して、姿を消してしまったことである。

農夫がある時はロバの背に、そしてまたある時はロバの手綱を引き、農道をいく姿は、実に絵画的だったのだが……。

ヒッピーの時代は、遠い昔のお伽噺になった。それが、久しぶりに訪れた『モハカール』での一番の感想。

静かすぎるのだ。村落のある岩山の麓から中心広場へ歩いて登った時、村内のあちこちから無秩序に湧き上がっていた音が、全く聞こえてこなかった。あの時代の息吹そのものが、本当にあったことなのかどうか、疑わしくなる。坂道を上る車のエンジン音が、昔の音の印象をかき消すかのように、時折耳に届く。

中心のヌエバ広場には、ヒッピーどころか、村の子らが遊ぶ姿さえなかった。観光客の姿が、忘れ物探しのように見えるだけである。昔栄えていた町や村に共通の、寂れ果て、時代に取り残された感が強くあった。バルの主人に訊くと、賑わいの中心は、ここから一キロ程離れたプラジャ（海岸線）へ移動してしまったとか。

聖地エル・ロシオは、年に一度の、『ロシオ巡礼の祭り』で盛り上がるだけの、アンダルシアの片隅に置き忘れられた僻村ではなくなりつつある。

近年、世界自然遺産ドニャーナ国立公園の西側玄関口としてインフラ整備され、木道が公園内の湿地池沿いに敷かれ、野鳥観察舎や鉄筋の自然観察センターが造られていた。その木道を散策すると、アフリカ大陸から飛来したフラミンゴが数十羽、浅瀬でエサを啄んでいた。観光施設が整えば、観光客が当然増え、旅行会社が数軒、彼らを当てにして村内に店を構える。競うように、専用の多輪駆動車での湿地ツアーを企画した。

かくして、エル・ロシオ村は通年、観光客を呼び込むことになる。

あとがき

　本を出版するにあたって、なぜスペインなのか、なぜアンダルシアなのかといろいろ考えた。そもそも、スペイン南部の一地方にたどり着いたのは、偶然の成り行きだった。私はコチコチの運命論者ではないが、見えない力、あるいは気づかないうちに敷かれたレールへ導かれ、この地方に至ったと考えなくもない。

　いずれにしても、時代の影響が多大だったかもしれない。高校卒業後、是非にと望んだ大学へ入ったが、時は全学連運動の盛んな時代。それほど強い主義主張はなかったけれども、いっぱしに腕を組んで行進するフランスデモへ参加、隣の見知らぬ女子大生に胸ときめかせた。しかし、これでは結末が明らか、早々に脱落し、世相をシニカルに眺めるノンポリ学生の一員に。アルバイトに精を出しては、全国各地を旅してまわった。勉強する学生の本分を忘れて、様々な体験に明け暮れた。北海道では、サラブレッド牧場で居候もした。

　卒業すると、証券会社に就職が決まっていたものの、それを棒に振っての、今でいうフリーター生活へ。遅まきながら、自己表現の確立に目覚める。カメラ初心者にも関わらず、夜間の写真専門学校へ入学。しかし、そこを出たのはいいけれど、職業として自立できるのはわずか数パーセントの厳しい世界。二十代の悪戦苦闘、それは目に見えていた。

そんな二十代の後半より三十代の前半にかけ、それまでの人生で気にも留めていなかった国、スペインとの関係を持った。そして、何度かの出入国を重ね、最終的に長期滞在するまでに。もちろん、すぐに本業の目途が立つはずもなく、テキヤ稼業の真似事をしたりして、試行錯誤の連続。それでもいつしか、将来の目標らしきものを持ち、スペイン各地を飛び回った。会社勤めの同世代にいわせれば、「遅れて来た青春だね」との辛辣な言葉。その評価は重々承知だが、今から思えば、このスペインでの数年間が、後の半生の端緒となった気がする。

なぜなら、そのとき以来、これまでの四十数年の長きにわたって、この国スペインとは付かず離れずの良好な関係を続けることになるのだから。

今回、本書はなにをベースにするかと考えた。一番に思い出すのは、スペインで過ごした若き日々の、使用される当てのない写真を撮り続けたこと。それは、純粋に、この国の光と影に深く共鳴したからに外ならない。とりわけ、スペイン南部のアンダルシア地方には、心情的に魅かれるものがあった。それゆえ、あの時代に撮りためたままダンボール箱にしまい込んであった写真を、今回改めて見直すと、無性に世へ出してやりたくなった。技術的には稚拙のものも多数あったが、制作意欲が感じられ、それら全てが愛おしく思えた。

無論、それらのみでは表現が弱いので、その後の撮影分を加えて、一冊の本に仕上げた。だからと言って、単純な写真集にはしたくなかった。アンダルシアの風景であり、人でありの写真と、その時々の心象風景、時には想像を加味して、本文を記述した所以である。

その本文はおおむね、前半、中盤、後半の三部構成とした。前半は、時系列が多少あいまいだが、若き日々のエピソードが主である。中盤は、時代が前半とほぼ同じでも、アンダルシアをより深く掘り下げてみた。この地方の象徴的な、樹木オリーブ、母なる大河、交差するカジェ、そして種々の祭りを取り上げている。後半は、時代が一気に進み、ここ十年内のアンダルシア通いから見た、アンダルシアの変遷に主眼をおいている。

タイトルを『スペイン　アンダルシアの道』としたのは、四十数年にわたるアンダルシアとの関わりに、自分自身の半生を重ね合わせたからである。ただし、本文の多くは、実体験にフィクションをまじえたものであり、あくまでも個人的なエッセイである。

参考文献・資料

小海永二訳詩『ロルカ詩集』　角川書店
佐伯泰英著書『闘牛』　平凡社
相沢久著書　『ジプシー』　講談社
地球の歩き方『スペイン』　ダイヤモンド社

著者プロフィール
石原 正雄（いしはら まさお）

1948年埼玉県生まれ。

東京都立竹台高等学校卒業。

早稲田大学商学部卒業。

東京写真専門学校卒業。

主に、ストック・フォト業界で活動。

世界およそ70カ国を取材。

世界遺産の本、社会科教科書、旅行パンフレット等々に、多数掲載。

ニコンサロンにて「スペインの祭り」、ペンタックスフォーラムにて「アジア水紀行」の写真展開催。

スペイン　アンダルシアの道

2021年７月15日　初版第１刷発行

著　者　石原 正雄
発行者　瓜谷 綱延
発行所　株式会社文芸社
〒160-0022　東京都新宿区新宿1－10－1
電話　03-5369-3060（代表）
03-5369-2299（販売）

印刷所　株式会社フクイン

ISBN978-4-286-22720-7